De liefdesboom

Jos Vandeloo

De liefdesboom

roman

Manteau Antwerpen

© 1998 Manteau Antwerpen / Standaard Uitgeverij nv
Antwerpen en Jos Vandeloo
Omslagontwerp Wil Immink
ISBN 90-223-1496-0
D 1998/0034/501
NUGI 300

Eerste deel

NIEMANDSHOEK

'De wereld is een toverbal,
niemand weet hoe hij worden zal.'

VOLKSE WIJSHEID

Een

NATHALIE

Met de trage onverschilligheid van een dier, niet gebonden aan de tijd, draait ze haar hoofd naar rechts. De plek waar het geluid vandaan komt.

Heel even knippert ze nerveus met haar amandelvormige ogen, die mat en mysterieus weggezonken liggen tussen de naar voren stekende, hoge jukbeenderen. Een ongewoon, vreemd aandoend, bijna exotisch mooi gezicht.

Ze staat op, loopt naar het raam en trekt het gordijn opzij. Met haar linkerwang tegen het kille glas gedrukt, tuurt ze de weg af. Nieuwsgierig en bij voorbaat al sterk geboeid door wat er komen gaat.

In de verte nadert een grote, witte personenauto. Heel langzaam komt hij dichterbij, moeizaam schommelend en schokkend door de vele drassige kuilen vol vuil water. Met een waggelende, komisch aandoende wandelgang beweegt hij zich luid knorrend voort over de bulten en bobbels van het door erosie verwoeste wegdek van aangestampte kleigrond.

Met een heftige ruk stopt de witte Mercedes voor de

smalle, houten brug. Een zwaargebouwde man stapt uit, klapt het portier dicht en droogt met een felgekleurde zakdoek het zweet van zijn gezicht. Met een mengeling van boosheid en verbazing kijkt hij om zich heen. Daarna komt hij met grote stappen naar het huis.

Waarschijnlijk een boer, een veekoopman, een dierenarts of iemand anders uit die sector, denkt ze. In deze streek rijden opvallend veel agrariërs met dit lichtkleurig type van zware auto rond. In hun ogen ongetwijfeld een bewijs van welvaart en bijgevolg een statussymbool voor de hele familie.

Met een vlugge beweging heeft ze het gordijn laten zakken en ze wacht nu op het geluid van de bel in de gang. De bezoeker belt echter niet, hij mokert met zijn vuist op de voordeur. Een man van de daad, arrogant en zonder geduld en geen tegenspraak verdragend.

Ze doet de deur open en kijkt hem vragend aan. Hij staat voor haar als een kwaadaardige, getergde orangoetang. Het hoofd agressief vooruit en de armen wijduit, als ontspannen bogen bungelend naast zijn lichaam.

'De weg houdt hier ineens op,' zegt hij boos. Een onvriendelijke, rauwe stem. Een opgeblazen, rood, zweterig gezicht. Een begin van ademnood, misschien wel hyperventilatie.

Ze knikt bevestigend en zegt alleen maar: 'Ja.'

'Wat een rotweg,' mort hij, 'één groot gat vol modder en water.'

Hij moet zijn ongenoegen aan iemand kwijt. Zijn gal kunnen spuwen over het geleden ongemak.

'Waarom plaatst het gemeentebestuur ginder geen verkeersborden om aan te duiden dat het hier om een hopeloos doodlopende weg gaat?'

'Het gemeentebestuur heeft hier niks mee te maken,' zegt ze rustig.

'Wie dan wel?'

'Het is een privé-weg, eigendom van de graaf.'

'De graaf, de graaf,' moppert hij, 'het lijken hier de late Middeleeuwen wel.'

'De graaf is eigenaar van de meeste gronden en van bijna alle boerderijen. Zo is het nu eenmaal.' Ze pauzeert even. 'Bovendien is dit geen doodlopende weg. Voetgangers en fietsers kunnen vrij over de brug naar de overkant van het water.'

Hij staart haar aan met een blik vol wantrouwen. 'Daar ben ik vet mee,' roept hij smalend, 'toevallig zit ik hier vast met mijn auto.' Hij wijst over zijn schouder naar het voertuig, een volkomen nutteloos gebaar of misschien alleen maar een uiting van opgekropte ergernis.

'Een witte Mercedes,' zegt ze, 'u bent niet de eerste.'

Ondertussen staat hij oplettend naar het huis te kijken, van de grond tot de nok en weer naar beneden, terwijl hij snuift als een getergde stier.

'Staat dat rare huis hier al lang?' vraagt hij arrogant.

Ze weet het ook niet en zegt: 'Zeker al van voor de tijd dat ik geboren ben. Misschien heeft het hier wel altijd gestaan, al eeuwenlang?'

Een korte hoofdknik, meer niet. 'Hebt u soms iets te drinken voor mij?' Een onverwachte overgang, hij springt als een ekster van de hak op de tak. 'Bier of water of zoiets?'

'Dit is geen café,' zegt ze kort. Hij haalt zijn schouders op en reageert op haar woorden met een minachtend wegwerpgebaar.

Ze loopt voor hem uit de woonkamer in. Vermoeid en blazend sloft hij achter haar aan, met bonzend hart honderd twintig kilogram spek en ander waardeloos mensenvlees meesleurend. Binnen ploft hij als een vormeloze zak meel neer in een fauteuil.

Ze neemt een flesje uit de koelkast en schenkt een glas bier voor hem in. Romig schuim schuift over de bovenrand naar beneden. Hij drinkt gulzig, met een onbeschaamd klokkend keelgeluid, en slaakt daarna een diepe zucht.

'Dat me dit moet overkomen,' klaagt hij, alsof er iets heel ergs gebeurd is.

Daarna wijst hij met uitgestoken hand naar het lege glas. Op één poot kan deze beer niet staan. 'Drinkt u zelf niet?'

'Nee, nu niet,' zegt ze.

'Die stomme graaf met zijn smalle brug,' zegt hij nors, 'waar woont die kerel eigenlijk?'

'Op een kasteel, natuurlijk,' zegt ze, 'een graaf woont meestal niet in een tweekamerflatje.'

Hij ondergaat haar spot grijnzend. 'Ik moet dringend aan de overkant zijn. Hoe kom ik daar eigenlijk?'

'Aan de overkant van de rivier valt er niet veel te beleven,' zegt ze. 'Het is een paradijs voor vogels en klein wild, alleen ver weg ligt er hier en daar een boerderij. Een heel eenzaam land.'

'Eenzaam of niet, ik moet erheen.' Hij schuift wat naar voren en schudt met zijn bovenlijf zoals een natte hond.

'Eerst terugrijden naar de grote weg. Dan naar rechts, naar het dorp. Drie kilometer verder is er een brug voor auto's, daar kunt u oversteken,' zegt ze welwillend.

Hij knikt voldaan. Taxeert dan met speurende ogen het interieur van de ruime woonkamer. 'Verkoopt u die antieke garderobe niet?' vraagt hij brutaal. 'Dat oud kreng daar tegen de muur.' Met zijn hoofd, kin vooruit, wijst hij het meubel aan.

'Dit is geen winkel,' zegt ze geïrriteerd, 'hier is niets te koop, voor geen geld en voor niemand.'

'Ik wil er anders wel goed voor betalen.' Hij aarzelt even, wat uit zijn normale doen. 'Misschien is het een familiestuk, iets van uw voorouders?' Een schrale poging om het goed te maken. 'Kan ik hier soms even telefoneren?'

'Wij hebben geen telefoon,' zegt ze.

Een licht gekreun stijgt op uit de diepte van zijn ingewanden. Een rimpelend voorhoofd. Een blik vol ongeloof. 'Hoe bestaat het? Hoe bestaat het in hemelsnaam?'

'Een mens kan ook leven zonder die dingen,' zegt ze. Een rustige reactie, een doordachte wijsheid, die hem grotendeels ontgaat.

'Ik in elk geval niet,' zegt hij snuivend, 'ik kan die spullen niet missen. Zeg eens, hoe heet het hier eigenlijk?' Met een zwaaiend armgebaar omvat hij de hele streek.

'Dit is Niemandshoek,' zegt ze, 'heel gewoon Niemandshoek.'

'Niemandshoek? Wat een naam, nu begin ik het eindelijk een beetje te begrijpen.'

Hij neemt zijn portefeuille en legt een bankbiljet naast het lege glas.

'U hoeft er helemaal niet voor te betalen,' zegt ze.

Zuchtend kruipt hij overeind uit de fauteuil, steunend op zijn ellebogen, en loopt dan in zichzelf mompelend naar de deur. 'Het einde van de wereld,' bromt hij en steekt zijn hand op als een ultieme groet.

Ze licht een tip van het gordijn op en ziet hoe hij loom naar zijn auto stapt, intussen met zijn hoofd schuddend, kennelijk vol onbegrip.

Hij start zijn wagen, heeft te weinig manoeuvreer-ruimte, hop achteruit, hop vooruit, weer achteruit, weer vooruit, raakt bijna de boom voor het huis. Daarna ver-laten baas en bak, allebei boosaardig brommend, het einde van de wereld.

Twee

NATHALIE

Dit is niet alleen een heel oud, maar ook een bijzonder vreemd huis, denkt ze. Bovendien zijn én de plek én de omgeving waar het destijds gebouwd werd, nog veel ongewoner.

Een eenvoudige landelijke woning, een scheefgezakte hoeve, een vervallen schuur of een hedendaagse fermette zou hier nog min of meer op zijn plaats zijn geweest. Dit in het oog vallend gebouw zeer zeker niet.

Hoewel het op zichzelf niet echt lelijk is, vormt het een vloek in dit statische, roerloze landschap, een gebied dat al eeuwenlang onveranderd is gebleven. Eigenlijk gaat het in dit speciale geval om een typisch huis uit de stad. Een redelijk chic rijhuis, zoals men er veel tegenkomt in de betere buurten van steden of ook wel één enkele keer in het centrum van een groot dorp.

Het pand doet een beetje barok aan, is hoog opgetrokken en redelijk smal. Een uitvergrote, op zijn kant staande schoenendoos en daardoor een verrassend surrealistisch element in een hoogst ongewone omgeving. Neenee, zo is het niet. Ze schudt het hoofd, de omgeving is gewoon, het huis echter niet.

Bijna lijkt het erop dat het gebouw op een verloren dag of een duistere nacht ergens uit een eigen, vertrouwde omgeving is weggeplukt en daarna onverhoeds is overgeplant naar een weliswaar mooie, maar hoogst ongeschikte plek.

Het is best mogelijk dat sommige voorbijgangers of fietsers het een niet in het landschap passend bouwsel vinden. Aan de andere kant zal de overgrote meerderheid er waarschijnlijk onverschillig tegenover staan of er zelfs helemaal geen aandacht aan schenken. In dit land zijn de mensen wel het een en ander gewend op dit gebied.

Een bevreemdende eenzaamheid hangt rond dit alleenstaande huis. In de hele omgeving, die vlak is en wijd te overzien, valt er nergens nog een woning te bekennen. Bovendien heerst er een opvallende stilte, zo indringend dat ze haast hoorbaar en fysiek tastbaar wordt.

Zou dit misschien eenmaal de woonplaats kunnen geweest zijn van een kluizenaar, die de wereld ontvlucht was? Of het huis van een veerman, die met zijn platbodem mens en dier naar de overkant roeide? Maar welke eenvoudige veerman zou zich met zijn schamel inkomen een dergelijk huis hebben kunnen permitteren?

Allesbehalve een onaanzienlijk huis, helemaal onderkelderd, met een grote, gelijkvloerse woonruimte, een etage met drie slaapkamers en een badkamer en nog hoger een zolder als een immense voorraadschuur.

Natuurlijk zou het vroeger ook het huis kunnen geweest zijn van een rentmeester of een andere man in dienst van de voorvaderen van de huidige kasteelheer. Of waarom niet de vreemde, maar indrukwekkende woning van een voormalige dijkgraaf? In dit waterland is er vast en zeker zo'n ambtenaar geweest, dat lijkt haar heel aannemelijk.

Achter het huis ligt de uitgestrekte weide, voor een stuk grenzend aan de rivier en beplant met oude fruitbomen, overwegend hoogstam. Hier en daar staat er een uitgeleefde appel- of perenboom tussen, van een haast uitgestorven soort, met tanende vruchtbaarheid. Voorts bomen met noten, pruimen, kersen, abrikozen, perziken en ander voer voor gretige vroege vogels.

Opzij van het huis en gedeeltelijk erachter, ook aanleunend tegen de oever van de rivier, bevindt zich de moestuin. Een geliefkoosde plek voor haar, waar ze niet alleen een grote variatie van groenten kweekt, maar ook allerlei aparte en onbekende kruiden.

Vooral planten die geneeskrachtige eigenschappen bezitten. Dat is haar specialiteit, die tegelijk ook zorgt voor een niet onbelangrijke invloed naar buitenuit en een bijna magische kracht tegenover de dunbevolkte maar intens aanwezige mensenwereld om haar heen.

Schuin voor het huis, daar waar de weg ophoudt, ligt in een ovale kromming de houten brug over de rivier. Zoals een reusachtige boog of, met enige zin voor verbeelding, de vermoeide rug van een stokoud mens.

Vanuit haar woonkamer hier beneden, kan ze het water tussen de opgehoogde dijken niet zien, maar het beeld ervan staat helder en scherp in haar geest gegrift. Het water is hier zowat het enige dat bijna zonder onderbreking en haast eeuwig in beweging is. Snelstromend en donkerbruin, met de rode schijn van het ijzererts uit de ondergrond.

Vaak gaat ze boven achter het raam van haar slaapkamer zitten, om vandaaruit geboeid en urenlang naar het snel vlietende water te kijken. De rivier heeft een wisselend gezicht, dat afhankelijk is van zon en regen, wind en sneeuw.

Om de zoveel uren houdt de stroming geleidelijk op en staat het water een tijdlang zo goed als stil. Zelfs het kroos ligt onbeweeglijk in het water. De rol van de getijden. De eb die het water vrijuit naar de ver weg liggende zee laat vloeien. Daarna de vloed die de stroom afremt en het water met grote kracht weer terugstuwt.

Het water straalt iets droefs en duisters uit, tegelijk is het raadselachtig, vervoerend en onheilspellend. Zijn ondoorzichtigheid roept bij haar bijwijlen een ondefinieerbaar mysterie op, maar ook een gevoel van angst voor een nabije dreiging en voor een onafwendbaar gevaar.

Soms vindt ze het water een verleidelijke en vooral verraderlijke spiegel, vast en zeker voor mensen die hopeloos moe zijn van het leven. Aan de andere kant is de rivier, tijdens de lente en in de zomermaanden, zachtaardig en goedhartig. Als een milde, zwijgzame bode neemt hij haar wensen, gedachten en dromen mee naar verre en vreemde oorden, maar een antwoord komt er nooit. Het komende en gaande water vervult haar met een onuitsprekelijk gevoel van weemoed en stille droefheid.

'Hallo, Nathalie,' roept de jonge Jonathan opgewekt. Hij heeft een fris gezicht met een lichte blos op zijn wangen en een onwaarschijnlijk kaal hoofd. Achteloos gooit hij zijn fiets tegen de voorgevel en loopt dan vlug naar haar toe.

'Moet je niet naar school, Jonathan?' vraagt ze verbaasd.

'Het is vandaag toch woensdag,' zegt hij.

'Ik vergeet de dagen,' zegt ze, 'hier merk je tenslotte het verschil niet eens. Alle dagen lijken op elkaar. Iets drinken?'

Hij knikt enthousiast. Zij gaat naar binnen. Komt terug met een glas fruitsap. Daarna zitten ze samen te dromen op de houten bank voor het huis.

'Mijn haar begint al een beetje te groeien,' zegt de jongen na een tijdje. Hij wrijft met zijn open hand over de kale schedel. 'Dankzij jou leef ik nog, Nathalie. Jij hebt mijn leven gered.'

'Niet overdrijven, Jonathan. Je hebt toch ook een langdurige chemobehandeling gehad in het ziekenhuis.'

'Daar ben ik mijn haren allemaal kwijt geraakt.' Hij trekt een verongelijkt gezicht en schudt wat heen en weer met zijn hoofd.

'Het groeit alweer. Wees maar gerust, binnenkort is het nog mooier en langer dan vroeger.'

Hij glijdt weg in stilte en verwondering. Onplezierige gedachten en pijnlijke herinneringen trekken een diepe rimpel over zijn voorhoofd.

Daarna zegt hij ineens, fel en nadrukkelijk: 'Zonder dat dieet van jou was ik vast en zeker doodgegaan.'

'Denk je?' zegt ze sussend.

Hij beantwoordt de vraag met een overtuigend geknik. 'En je hebt nog veel meer voor me gedaan.'

'Ach, lieve jongen,' zegt ze, 'door veel en lang met je te praten, heb ik alleen maar je weerbaarheid tegen de ziekte wat kunnen verhogen.'

'Dokters hebben daar geen tijd voor, denk ik.'

Hij ziet er op dit ogenblik veel te somber uit voor zijn jonge leeftijd. Een vroegrijpe, intelligente jongen, die door de ziekte en de voorbije ervaringen nog allerter is geworden.

'Zou het nu allemaal over zijn?' vraagt hij ongerust. Er trilt een onverholen spanning in zijn stem. 'Of zou de kanker toch nog onverwacht terug kunnen komen?'

Ze streelt over zijn hoofd en legt haar arm kameraadschappelijk om zijn smalle schouders. 'Je hoeft helemaal niet meer bang te zijn,' zegt ze, 'nee, hij komt heel zeker niet meer terug. Je bent nu echt genezen.'

'Bang zijn helpt niet,' zegt hij wijs en berustend.

Ineengedoken zit hij naast haar. Het beeld van een kouwelijke vogel, wegduikend in zijn warme veren. Met een ernstige blik staart hij naar de overkant van het water. Naar dat zompige, hopeloos verlaten land. Of misschien, wie zal het zeggen, nog veel verder?

Drie

VINCENT

Om de vervelende en tijdverslindende ochtendfiles te vermijden, vertrekt hij thuis al om goed zeven uur naar zijn werk. Normaal ligt Nathalie dan nog te slapen, maar enige zekerheid daarover heeft hij niet. Het is best mogelijk dat ze rechtop en klaarwakker zit te lezen of gewoon op haar rug naar het plafond ligt te staren, luisterend naar de schaarse en dunne geluiden in en om het huis.

De tijd dat ze samen in het grote bed sliepen en er vaak uitbundig en mateloos vrijden, is voorbij. Hij slaapt nu in de eerste kamer, zij in de derde. Tussenin een vertrek waar helemaal niets in staat. De altijd leeggebleven kinderkamer.

Ze leiden elk hun eigen leven, waarbij ze zich niet al te veel gelegen laten liggen aan de andere. Een vorm van samenleven die ze kennelijk niet eens als echt hinderlijk ervaren, die eigenzinnige, wat harteloze toestand waaraan ze beiden schuld hebben.

Alleen nogal egoïstisch en een bewijs van verregaande onverschilligheid, dat geeft hij grif toe. Aan de andere kant vindt hij een portie persoonlijke vrijheid een groot en kostbaar bezit, veroverd na maanden van hoogspanning, onenigheid en onderhuidse schermutselingen.

Na de eerste paar honderd meter onplezierig gehobbel over de uitgemergelde landweg, krijgt hij een comfortabele strook smal beton onder de wielen. Ruim één kilometer verder eindigt die loodrecht op een tweebaansweg. Een breed, slingerend spoor tussen de altijd groene dennenbossen.

Hij zwenkt naar links, richting kleine stad, waar hij via de ringlaan redelijk vlug omheen kan rijden. Daarna op weg naar de twintig kilometer verder gelegen grote stad. Het doel van zijn dagelijkse reis.

Als er onderweg niets misloopt door dichte mistbanken, niet ongewoon in dit waterrijke laagland, of door een vrachtwagen die zijn slecht vastgesjorde lading verliest, een onervaren of zwaar bedronken chauffeur die zich een paar uren eerder in het nachtelijk duister te pletter heeft geknald tegen een boom op de berm of tegen een stenen duiker in de beek naast de weg, als dus niets van dat alles gebeurd is, zit hij al ruim voor achten achter zijn schrijftafel.

In het kantoor heerst er op dat ogenblik nog een intense, behaaglijke rust. Een geschikte tijd om de krant te lezen en een paar koppen sterke, gloeiend hete, zwarte koffie te drinken.

Tijdens en na die korte ouverture druppelen de collega's één na één binnen. Hier en daar beginnen de beeldschermen te flitsen. Printers en andere apparaten sturen een monotoon gezoem de ruimte in. Ineens ritselt en gonst het lokaal van allerlei activiteiten.

Echt boeiend is het tussen deze muren in geen geval, meeslepend nog minder. Opwindende momenten en spectaculaire belevenissen zijn hier volstrekt uitgesloten, zeg maar streng verboden door ongeschreven wetten, die gewoon eigen zijn aan het bedrijf en er onverbrekelijk mee verbonden blijven.

Voor avonturen bestaat hier allerminst een aanleiding. Die gebeuren buiten, zeker nooit binnen de dikke, haast sacrale wanden van deze met diepe ernst doordrenkte onderneming, die voorspoedig vaart op brede stromen van geld.

Ook voor ergofobie is hier beslist geen plaats; werkschuwen worden onverbiddelijk geweerd of weggestuurd, zoals ongewenste vreemdelingen en uitgeprocedeerde asielzoekers. Toegegeven, het salaris is van heel behoorlijke allure en de sociale voorzieningen zijn meer dan voortreffelijk.

Een zachte pleister op de schaafwond van kleine en grotere ongemakken. Ze geneest de eigenlijke kwaal wel niet, maar vermindert de pijn of maakt ze op zijn minst toch draaglijk.

Misschien is dat een van de redenen waarom hij na zijn dagtaak zelden direct naar huis rijdt? Eigenlijk mag hij zelfs eerder weg, omdat hij 's ochtends zo vroeg begint, maar dat interesseert hem nauwelijks.

Nathalie zit thuis niet op hem te wachten en bovendien is het daarginds zo verdomd eenzaam en stil, dat hij er nerveus van wordt en er een onprettig, ziekmakend gevoel aan overhoudt. Hij heeft een hekel aan dat lege land met zijn modderpoelen en zijn doodlopende wegen.

Vroeger wachtte ze wel, in de tijd dat ze moest wennen aan de nieuwe omgeving. Als hij later arriveerde en daarbij ook nog een duidelijke alcoholkegel voor zich uitduwde, zat ze al op de punt van haar stoel om hem met verwijten te overladen en hem in niet mis te verstane bewoordingen uit te kafferen.

'Zelden werd een man door zijn liefhebbende eega meer gekapitteld dan ik,' zucht hij met een bewolkt gezicht. Gelukkig is dat vervelend probleem nu van de baan en laat ze hem ongestoord zijn gang gaan.

Na het werk gaat hij eerst nog een poos naar de taverne in de buurt. Er hangt een warme, gezellige sfeer, de verlichting is beschaafd, de bezoekers ook. Altijd ontmoet hij er vrienden en kennissen, ontheemden zoals hij er zelf een is. Meestal ook nog wat afgepeigerde collega's, die hier lafenis en troost komen zoeken voor hun banaal en droef bestaan. Net als hij zijn ze, zonder dat ze het beseffen, op zoek naar een vriendelijk woord, verwachten ze een bemoedigende schouderklop, desnoods van een doodvreemde, en hunkeren ze naar wat menselijk contact.

Allicht zijn ze onbewust op de vlucht, bang en ontredderd door de dagelijkse, sluipende stress, die nu en dan een willekeurig individu als slachtoffer uitkiest. Ze hebben het dan over een depressie, een hersenbloeding of een hartinfarct.

Nadien hoor je er nooit meer wat over. Ze zijn voorgoed verdwenen, spoorloos, uitgewist. Als groene bladeren onverbiddelijk afgevallen in een te vroege herfst.

De tijd van het simpele, zorgeloze bestaan is definitief voorbij, denkt hij somber. Dat was een begrip uit een andere, voorbije eeuw. Nu wordt het leven vreemd genoeg van dag tot dag comfortabeler en gecompliceerder, en tegelijkertijd ook onbegrijpelijker. Overal graait de ontmenselijking van de maatschappij als een kwaadaardige kanker om zich heen.

Een mens kan zich eindeloos vragen stellen over de zin van het leven. Of over de onzin ervan. Misschien leidt die steriele bezigheid alleen maar tot waanzin?

Als de somberheid hem al te zeer beklemt, belt hij naar Barbara. Op zijn aparte manier, een beetje verlegen en terughoudend, bang om haar lastig te vallen op een minder gelukkig moment.

Barbara is een toonbeeld van hartelijkheid. Hij is er altijd en onvoorwaardelijk welkom, tenminste als ze op dat ogenblik thuis is en toevallig geen andere plannen heeft. Als kleuterleidster in een fröbelschool gaat ze hele dag om met huilende, twistende, plassende en kakkende ukken, maar zelf vertoont ze nooit ook maar één enkel teken van dreinerigheid.

Ach, Barbara, een heerlijke, begrijpende vrouw, een zeldzaamheid, zonder frustraties en boordevol liefde. Een oase voor de eenzame, dorstige zwerver in deze onherbergzame woestijn.

De Mexicanen zeggen: 'Je moet niet bang zijn voor de dood. Je moet alleen maar bang zijn dat je niet geleefd hebt.' Niet geleefd hebben, dat zal hem niet overkomen, daar zal hij zelf wel voor zorgen.

'Ik kan haar maar beter even bellen,' mompelt hij, 'ik voel me niet echt lekker. Zit waarschijnlijk weer een beetje in de put en heb misschien een aankomend griepje onder de leden, wie zal het zeggen?'

Een typische reactie van hem, dat beseft hij zelf maar

al te goed. Om zich bij Barbara lekker in zijn vel te voelen, heeft hij steevast een of ander voorwendsel nodig. En
vanzelfsprekend Barbara natuurlijk.

Vier

NATHALIE

Volkomen onverwacht staat de boer naast haar. Zoals altijd breedlachend en goedgemutst. Nooit vertoont hij een spoor van gepieker of zorgelijkheid.

Met vrouw en kroost woont hij aan de overkant van de rivier, ver weg in een oude boerderij die vanhieruit niet te zien is. Een goedlachse stamvader, maar veel sluwer en slimmer dan de meesten kunnen vermoeden.

Nu en dan komt hij op zijn fiets even langs, zomaar, voor een praatje. Sinds de dijkverzwaring ziet ze hem meestal van op grote afstand naderen. Voorovergebogen over het stuur van zijn fiets. Nauwgezet de loop van de meanderende rivier volgend. Boven op de weg, die de kronkels volgt over de rug van de dijk.

Bij elk bezoek brengt hij iets mee voor haar. Vandaag een prachtig stuk vlees van een versgeslacht kalf. Van betaling wil hij niks weten.

'Ik wou weer even onder de mensen komen,' zegt hij met een verlegen lach. 'Ik denk dat ik weer wat aanspraak nodig heb.' Het klinkt wat schutterig, alsof hij zich wil verontschuldigen voor zijn onverwacht bezoek.

'Veel mensen vind je hier anders niet,' zegt ze spottend.

Hij reageert gevat. 'Eén enkel mens is dikwijls al meer dan genoeg. Twee of drie is soms al te veel.' In de huid van deze simpele boer huist een milde, volkse filosoof. Een man in het bezit van een kostbare, zelfverworven wijsheid.

'Wat denk je van een borrel, Domien?' vraagt ze.

'Een trappist is ook goed,' grijnst hij kwajongensachtig, 'die paters moeten ook leven, nietwaar?'

Zoals altijd verjaagt zijn komst haar vage gedachten en verre dromen. Domien haalt haar weer naar de werkelijkheid van alledag. De zeldzame keren dat hij haar een bezoek brengt, betekenen voor haar een verademing, een rustpunt, een welgekomen breuk in de saaiheid van haar bestaan.

Hij heeft een ruige Breugelkop, hoekig geboetseerd uit klei. Een sympathiek gezicht met opvallende pretogen. Een goedgevormde neus en een gaaf gebit met sterke tanden. In het midden bovenaan ontbreekt er één kies. Als hij weer eens in een luide lach schiet, probeert hij dat weg te moffelen achter een hand.

Eens heeft ze hem op de man af gevraagd waarom hij niet voor de reparatie ervan naar een tandarts ging. Een kleine ingreep. Hij verzonk even in een diep stilzwijgen en somber gepeins, keek verontrust om zich heen en zei toen heel ernstig: 'Een tandarts is de enige man in heel de wereld waar ik een beetje bang voor ben. Ik weet dat het stom van me is, maar ik kan er ook niets aan doen.'

Even later vertrok hij ijlings. Het heeft een paar maanden geduurd voor hij zijn frustratie overwonnen had en zich weer liet zien. Van toen af hebben ze het tere punt niet meer aangeraakt. Alleen vlindert er sindsdien vaker een glimlach over zijn gezicht en lacht hij minder luid. Bulderen en platliggen van het lachen, is er op deze plek en in dit huis niet meer bij. Hij doet zijn uiterste best om dat angstvallig te vermijden.

Met grote gretigheid drinkt hij van het pittige, donkere bier. Daarna veegt hij de ovale, witte schuimrand rond zijn mond met de mouw van zijn jas weg en boert. 'Floep, daar gaat hij,' zegt hij opgewekt. 'Toen ik nog een baby was, hield mijn moeder me na het eten altijd rechtop tot ik geboerd had.' Het is niet eens als excuus bedoeld, alleen maar een terloopse overweging. 'Ik heb het later nooit meer afgeleerd.'

'Het geeft niet, Domien,' zegt ze gniffelend, 'bovendien is het een bewijs dat je lichaamsfuncties nog altijd goed werken.' Als een vogel nipt ze profijtig aan haar droge sherry.

'Hier, bij jou Nathalie, is het altijd aangenaam verpozen,' zegt hij tegemoetkomend. Het klinkt haar nogal plechtig in de oren. 'Eigenlijk ben je een dappere vrouw. Hier zo de hele dag moederziel alleen zitten, met een man die altijd weg is.'

'Hij moet de geldpomp in de stad draaiend houden,' zegt ze kortaf. 'Dat is nu eenmaal zo. Intussen ben ik eraan gewend geraakt.' Een berustende en apathische reactie.

Alleen en eenzaam zijn hoort onvermijdelijk bij de alledaagse wreedheid van het samenleven, denkt ze.

Misschien doorziet hij haar. Meewarig schudt hij het hoofd. 'Dat is niet goed,' zegt hij heftig, 'mensen zijn sociale wezens, niet geschapen om alleen te zijn. Eenzaamheid is gekmakend.'

'Nu en dan komt er wel eens iemand.'

'Heb je nooit aan kinderen gedacht?'

'Gedacht wel, maar Vincent wou er niet van weten.' Zijn interesse en belangstelling ontroeren haar.

Ineens wordt ze overstelpt door een golf van vertrouwelijkheid. Ze voelt de verleiding om de eenvoudige, wijze Domien deelachtig te maken aan een geheim in haar leven, maar even vlug schudt ze die gedachte weer van zich af. Een geheim dat je vol vertrouwen aan iemand prijsgeeft, houdt meteen op een geheim te zijn. Heel even rilt ze, haast onmerkbaar, als een gekreukte rietstengel bij een onverwachte bries.

'Heb je het koud?' vraagt hij. Domien hoort en ziet schijnbaar alles. Nauwlettend volgt hij haar bewegingen, evenzeer bezorgd als nieuwsgierig.

'Beetje verkouden,' zegt ze toonloos.

'Misschien werk je te hard,' zegt hij, 'eigenlijk ben je altijd met alles en nog wat in de weer. Het huis, de keuken, de moestuin, de geneeskrachtige kruiden, al die geleerde boeken.'

'De Franse schrijver Voltaire zegt: *Il faut cultiver son jardin.* Men moet zijn tuin verzorgen, Domien.'

'Voor zijn plezier, ja, maar zonder te overdrijven.' Domien zonder het te weten in de rol van classicus. Grappig vindt ze dat.

'Bezig zijn verdrijft de tijd,' zegt ze, 'het verjaagt duistere dromen, bittere gedachten en angstaanjagende nachtmerries.'

'Dat is een hele mondvol,' zegt hij, 'en bovendien nogal zwaar aangedikt.'

'De dagen zijn kort voor mensen die werken.' Ze onderstreept haar woorden met een druk geknik.

'Dat is lang niet altijd waar.' Zijn reactie is fel en opgewonden. 'Er zijn dagen die een week duren of nog langer.'

Ze zitten stil tegenover elkaar. Zwijgend en in zichzelf gekeerd, opgesloten in een bevreemdend, tijdloos gevoel, dat traag heen en weer beweegt tussen nutteloosheid en hulpeloosheid.

Het is duidelijk dat een man als Domien, die bruist van het leven en met alle vezels van zijn sterke lijf aan allerlei aardse elementen zit vastgeketend, deze stilte ervaart als heel erg storend en hoogst hinderlijk.

'Weet je wat de boeren zeggen?' vraagt hij. Ze schudt haar hoofd, ontkennend en nauwelijk geïnteresseerd in zijn antwoord.

'Wie alle dagen bezig is als een bij, wie de kracht heeft van een stier en zwoegt als een paard en daardoor 's avonds zo bekaf is als een lamme hond, die moet dringend naar de dierenarts.'

Hij last een pauze in, zoals een volleerd acteur. Speurt aandachtig naar een teken van instemming of afkeuring op haar gezicht. Geduldig wacht hij op haar reactie.

'Waarom naar een dierenarts?' vraagt ze toegeeflijk.

'Omdat hij geen mens meer is, maar een ezel.' Hij lacht uitbundig, zijn gezicht loopt rood aan, zijn ogen tranen en zijn mond staat wijdopen. Zweetdruppels parelen op zijn doorgroefde voorhoofd.

Ach, Domien, je kunt hem niks kwalijk nemen. Een kerel uit de duizend, een man die haar ongewild vertedert, vooral in haar zwakke momenten, en haar onbewust kwetsbaar maakt. Domien, een trouwe, toegewijde, ruimhartige leeuw, die zich verdedigt tegen muggen.

Wat een hemelsbreed verschil tussen twee mannen. Vincent, die hooghartig is en van zichzelf denkt dat hij een onweerstaanbare persoonlijkheid bezit. In werkelijkheid echter een egocentrische man, getrouwd met zijn werk en daardoor misvormd tot een soort voorgeprogrammeerde, robotachtige computer.

Het karakter van een ijsbeer, een berekenende natuur. Uitermate onverschillig tegenover anderen, tenzij ze hem van enig nut zouden kunnen zijn op zijn zwerftocht als onverbeterlijke streber. Kortom, een kille rekenaar, een voorbeeld van armetierigheid op zuiver menselijk gebied.

Haar overpeinzingen zijn in gal gedrenkt. Per slot van rekening is Vincent een stinkerd. Een vent die in de stad schouderklopjes uitdeelt, flauwe grappen uitkraamt en een grote bek opzet in het gezelschap van zijn schaarse vrienden. Een stelletje gepatenteerde patsers, zoals hij er zelf ook een is.

Weer vindt Domien het moment gekomen om de ijzige stilte, die als een waas om haar heen hangt, te doorbreken. 'Hoe is het met de ginkgo?' vraagt hij.

Een vraag die hij terloops altijd even stelt, ze is dus niet geheel onvoorbereid. Ze reageert met een lauwe glimlach. 'Stevig, sterk en gezond,' zegt ze, 'zoals altijd.'

Vijf

VINCENT

De eerste twaalf jaren van hun huwelijk wonen ze in de grote stad, in een stille buurt iets buiten het eigenlijke centrum met zijn winkelwandelstraten vol drukte, licht, lawaai en glitter.

In hun straat, die uitgeeft op een stemmig plein met bomen, wonen veel joodse mensen. Meestal zijn die actief in de nabijgelegen diamantnijverheid. Of ze hebben, als kleine middenstanders, een winkel een beetje verder-op.

Het is de tijd van hun grote liefde, vervoerende harts-tocht en ongebreidelde passie. Laveloos genieten ze van het opwindende, jonge leven. De toekomst is eindeloos, tijd is bijzaak. Hun relatie verloopt harmonisch en har-telijk, de hemel vertoont die eerste jaren geen donkere wolken. Allebei hebben ze een behoorlijke, goed geho-noreerde baan, zodat financiële zorgen en ruzies hun hu-welijksgeluk niet verstoren.

Het statige huurhuis is veel te ruim voor twee pasge-trouwde mensen. Na die onvergetelijke beginjaren van hun huwelijk, heeft Nathalie het voortdurend over kinderen, alsof ze het grote, lege huis zo vlug mogelijk wil vullen met kindergejank.

Ze praat niet gewoon over een kind krijgen, zoals de meeste vrouwen in dat geval doen, nee, ze gebruikt doorlopend een heel gevarieerd scala van beschaafde en dure woorden. Die haalt ze uit boeken over bevruchting, zwangerschap, geboorte en opvoeding.

Kinderrijkdom is een van haar geliefkoosde begrippen. Voorts praat ze als een deskundige over de diagnoses van gynaecologen en de kwaliteit, of de gebreken, van mannelijk sperma. Als een ervaren arts over mogelijke infecties bij baby's; als een gespecialiseerde opvoeder over de educatie van jonge kinderen en wat dies meer zij.

Daarbij heeft ze een schatkamer vol dweperige ideeën over een zogenaamde extase bij de bevalling – de eerste keer dat hij daar iets van hoort – en over de verhevenheid van het moederschap.

Het komt hem allemaal de oren uit, hij voelt zich een onhandige zwemmer in een ondoorzichtige poel. Haar opgefokte verlangens glijden als water over hem heen. Ze beroeren of ontroeren hem niet, beklijven niet, laten hem volkomen onverschillig. Het komt erop neer dat hij er eenvoudig niets van horen wil. Al dat gezeur wekt bij hem alleen maar tegenstand en weerzin op.

'Ik ben niet met je getrouwd om binnen de kortste keren al een kind te verwekken,' roept hij kwaad, 'zo stom zal ik niet zijn.'

Met dit soort kreten kwetst hij haar diep, des te meer omdat hij haar redelijke, moederlijke verzuchtingen wegwuift als loze romantiek, sentimenteel gebazel en feministische overgevoeligheid.

Ze reageert ongemeen vinnig op zijn verregaande onverschilligheid. In bijtende uitvallen verwijt ze hem zijn onbegrip, die verrekte egoïst die hij is, zonder een greintje gevoel voor de terechte gevoelens van zijn eigen, jonge vrouw.

Na zo'n uitbarsting van opgekropte woede, begint ze uitzinnig te huilen, met een hoog stemgeluid en schrille uithalen. Geen artificiële tranen, maar een oprechte uiting van troosteloos verdriet. Een droefheid die door vel en been snijdt, behalve bij hem.

Haar tranen vermurwen hem niet, hij bindt alleen kortstondig in. 'Later misschien, liefje,' zegt hij, 'we hebben tijd zat; er ligt nog een heel leven voor ons open.'

Een strategische en tijdelijke terugtocht, het voorkomen van gedonder in de tent, meer betekenis hebben zijn woorden niet. Maar zij is nog bitter jong en heel argeloos en ze hecht nog onvoorwaardelijk geloof aan mooi opgepoetste, nietszeggende woorden.

Jarenlang verloopt hun leven normaal en vooral kleurloos. Alleen haar nu en dan opduikend gedram over een kind zorgt voor enige opwinding in het huis. Zij ondergaat zijn weigerachtige houding op dit punt als een dramatisch onrecht.

Soms maken ze in het weekeinde een uitstap. Een natuurreservaat, een pretpark, de zee, een pas gebeurde ramp. Het komt erop neer dat ze meestal wat doelloos rondtoeren, tot hun ergernis in een file terechtkomen en ten slotte uit pure verveling ergens iets gaan eten of drinken. Vaak valt het tegen. Hun vrije tijd is een opeenstapeling van saaie uren; hun huwelijk een onzichtbare band zonder veel samenhang en bezieling.

Nathalie geeft in een school voor secundair onderwijs dagelijks les aan ontluikende tieners. Voor de rest verkneukelt ze zich in zijn ogen alleen maar in huiselijke knusheid, stapels lectuur en andere subtiliteiten. Ze praat weinig en geeft hooguit een laconiek antwoord als hij een opmerking maakt.

Hij ijsbeert zo lang en zo opvallend door het huis, dat het haar zenuwachtig maakt. 'Waarom ga je niet naar het voetbal?' vraagt ze.

Een afkeurend gesis. 'Omdat ik niet hou van agressie,' zegt hij stuurs. 'Bah, en dat gewatteerde gedoe van die voetballers als ze een doelpunt hebben gescoord.'

'Er zijn nog andere sporten.'

'Allemaal één pot nat. Geld en geweld, elkaar omver lopen en omkopen, een beetje plezier en veel getier.'

'Als je er zo over denkt...' zegt ze en verdiept zich direct weer in haar boek. Een vlucht uit de realiteit en de banaliteit. Die droge, eindeloos durende weekeinden mogen ze voor haar part gerust van de kalender schrappen.

Haar innerlijke kracht is maar schijn, haar zelfverzekerd optreden louter bluf. Dat wordt hem duidelijk als er in het instituut waar ze lerares is, storende dingen gebeuren en almaar meer vage problemen ontstaan. Onvoorziene kortsluitingen tussen het lerarenkorps en de directie en warrige situaties en conflicten tussen leerlingen, oudercomités, inspecteurs en overheden.

Nathalie heeft het bijzonder moeilijk met de plots gewijzigde situatie en de daarmee gepaard gaande troebele toestanden in de anders zo rustige school. Doodmoe en onttredderd komt ze na de lessen thuis, eet niet, praat niet, slaapt niet, beklaagt zich eindeloos over het verraderlijke gedrag van collega's en de onwaardige houding van de directie.

De leerlingen worden van dag tot dag rebelser en uitdagender. Het gezag is grondig ondermijnd, de sfeer totaal verziekt, het bestuur gereduceerd tot een twijfelend en weifelend orgaan. Zo kan het volgens haar niet langer.

Ze wordt er serieus ziek van en glijdt gaandeweg af naar een depressieve toestand. Wekenlang zit ze alleen en volledig geïsoleerd in het grote, lege huis, tobberig en teruggetrokken, platgewalst door narigheid en niet te verdrijven zorgen.

De huisarts praat vruchteloos op haar in, schrijft briefjes vol adviezen en medicatie, maar spreidt na afloop zijn lege handen open als een wanhopig teken van machteloosheid.

Toch ontstaat er na een tijd een geleidelijke verbetering in haar ziektebeeld. De crisissituatie schijnt over haar hoogtepunt heen te zijn. Nathalie hervindt een wankel evenwicht, al zit ze nog altijd ingepakt in een cocon van ondoordringbare eenzaamheid.

Inmiddels zit in het bedrijf van Vincent al een paar dagen een ongenode gast, een spierwitte zwerfkat. 'Ik zal ze mee naar huis nemen,' zegt hij, 'als gezelschap voor mijn zieke vrouw. Hier mag ze toch niet blijven.' Gaat hij ineens op de rem staan of is het een plotselinge bui van onvermoede menselijkheid?

Bij dit soort overwegingen staat hij niet eens stil. Als ze toevallig al de kop opsteken, onderdrukt hij ze ge-

woon. Wie denkt dat hij ooit last heeft van een slecht geweten of geplaagd wordt door zelfs maar een lichte vorm
van wroeging, kent hem niet en vergist zich mateloos.

'Ik heb een poes voor je meegebracht,' zegt hij 's
avonds vriendelijk, 'dan ben je hier niet zo alleen als ik
weg ben.'

Ze knikt alleen maar en probeert de schuwe poes, die
argwanend zit te wachten, met kreetjes en gefleem dichterbij te lokken.

Een paar weken later, de poes heeft zich dan al helemaal aangepast aan haar nieuwe omgeving, komt die na
een zwerftocht in de buurt onverwacht naar huis met
bloemen in haar bek. Ze legt het bosje omzichtig neer
voor de voeten van Nathalie. Het zijn tuinverse bloemen, pas door iemand geplukt. Ze neemt een vaas, vult
ze met water, plaatst de bloemen erin en beloont de lieve poes, voor deze hoogst ongewone blijk van mensen-
liefde, met een brok vlees.

Nu en dan verdwijnt de poes voor een korte tijd uit
het huis. Onveranderlijk komt ze terug met bloemen en
kleine planten. Onverklaarbaar dierengedrag, een zeldzame afwijking of iets anders? Bij nader inzien het resultaat van een vlugge tocht langs de bloembakken, die
overal op de vensterbanken van de huizen staan, en van
een grondige prospectie van de bloemperken in de achter de huizen liggende tuinen.

Vooral als het donker is, gaat de kat op avontuur.
Weer thuis deponeert ze de bloemen ordelijk op een rij
onder het afdak in de eigen tuin. Als het fel regent blijft
ze thuis. Geërgerde buren denken dat hun bloemen gepikt worden door passerende fuifnummers. Voor de
schade in de tuintjes hebben ze geen verklaring.

De fysieke en psychische toestand van Nathalie verbetert traag en moeizaam. Van lesgeven is voorlopig geen sprake meer, dat zou de zaak alleen maar verslechteren. De arts dringt aan op verandering van milieu. Als mogelijke therapie stelt hij een heilzame rustperiode voor, buiten de drukte en het lawaai van de stad, ergens op het platteland.

Nu begint voor hem de zoektocht naar een rustige verblijfplaats ver weg in de groene natuur. Dagelijks vlooit hij de advertenties in de kranten en de reclamebladen uit, telefoneert urenlang driftig met allerhande makelaars en bezoekt agentschappen die zich bezighouden met de verhuur en verkoop van vastgoed.

Na verloop van tijd heeft hij iets naar zijn gading gevonden. Haar mening vraagt hij niet eens, want de sukkel is ziek.

Drie klusjesmannen uit de streek zullen het verwaarloosde huis eerst een hoognodige opknapbeurt geven. Overal zijn er reparaties nodig, gebroken ruiten, afgebladderde verf, losliggende tegels, verstopte riolering, kapotte lampen en leidingen, kortom een ongelooflijke rotzooi.

In het voorjaar beginnen de mannen aan hun opdracht. Tijdens het werk zingen of fluiten ze en lassen ze rustpauzes in om te eten, drinken en roken. Zonder zich uit te sloven, zijn ze tegen de zomer klaar met de restauratie. De rekening is gepeperd, maar het huis is weer toonbaar en bewoonbaar.

De tijd is aangebroken om de burgerlijke woning in de grote stad te verlaten. Zonder van iemand afscheid te nemen, en zonder een spoor van heimwee, vertrekken ze

na twaalf redelijk mooie en bewogen jaren naar de gene-
zende rust en het gezonde buitenleven op het platteland.

Naar het rare, mysterieuze huis bij de houten voetgangersbrug over de rivier. En vooral naar de nooit eerder geziene, immense verlatenheid en de nooit voordien
beleefde eenzaamheid van de onbekende Niemandshoek.

Zes

NATHALIE

Bijwijlen denkt ze, niet zonder een wrang gevoel, terug aan die eerste maanden in Niemandshoek. Flarden herinneringen schuiven voorbij, een sterk wisselende reeks van goede en slechte uren en dagen. Het zijn flitsende gedachten als versnelde filmbeelden.

Het aartsmoeilijke begin en het wennen aan de ongewone omgeving. Een pionierstijd, ver weg van de bewoonde wereld, alsof ze plotseling waren uitgeweken naar een onbekende plek ergens in Tasmanië. De problemen tussen haar en Vincent zijn bij de verhuizing niet achtergebleven in het vorige huis.

In heel de wereld is er maar één boze, onhebbelijke vrouw en elke man denkt dat juist hij de onfortuinlijke held is die haar getroffen heeft en met haar ongelukkig getrouwd is.

Zo ook Vincent. Zonder enig gevoel of bezwaar heeft hij haar in deze uithoek bij wijze van spreken levend begraven. Het dorp, waar bakker, slager, kruidenier en drogist hun winkel hebben, waar de huisarts en de apotheker wonen, ligt wel vier kilometer hiervandaan.

Natuurlijk kan ze er met haar ouderwetse damesfiets heen, onderweg zwaar getackled door weer en wind, of met het geblutste, wijnrode autootje dat achter het huis staat. Een gammel vehikel, dat hij voor haar in een misplaatste bui van liefdadigheid op een markt voor afgedankte wagens heeft gekocht.

Het voertuig is nauwelijks in beweging te krijgen, de vier banden zijn bijna zo kaal als een kei en er mankeert verder nog van alles aan. Ik ben mijn leven nog niet beu, denkt ze. Alleen door onoplettendheid, een illegale omweg of brutaal bedrog kan dit aftandse karretje door de verplichte autokeuring zijn gesjoemeld.

Zelf is hij altijd uithuizig, want het werk slorpt hem uiteraard volledig op. Ook op zaterdagen en zondagen vindt hij – inventief als hij op dit gebied geworden is – wel een reden om naar de stad te gaan. Zogezegd naar de zaak, want daar is hij naar eigen zeggen verschrikkelijk onmisbaar. Op nog een paar andere plaatsen waarschijnlijk ook.

Maar haar, zijn eigen vrouw, heeft hij al maanden niet meer aangeraakt. In de grote stad zal hij wel aan zijn gerief komen, daar twijfelt ze niet aan. Soms worstelt ze met het miserabele gevoel een gepasseerde vrouw te zijn, een overbodig wezen bijna, de groene weduwe van Niemandshoek. Het leven is allesbehalve gevuld met logica en liefde.

Een onplezierige situatie voor een jonge vrouw, vindt ze zelf, maar geen reden om hele dagen te grienen of er zwaar en lijdzaam onder gebukt te lopen. Ze verdrijft de eenzame uren met allerlei activiteiten, vooral in de door gras, onkruid en wilde heesters overwoekerde tuin. Daardoor leert ze Domien kennen.

Op een dag komt hij voorbijgefietst, stopt, kijkt nieuwsgierig naar het huis en staat een korte tijd na te denken. Daarna plaatst hij zijn fiets tegen de boom en komt hij met bedachtzame passen naar het huis gewandeld. Waarschijnlijk heeft hij haar bezig gezien in de tuin.

'Ik zie dat het huis weer bewoond is,' zegt hij. Hij staat wat ongemakkelijk voorovergebogen, wiebelend, de handen verborgen achter zijn rug.

Ze lacht vriendelijk en zegt: 'Mijn man en ik zijn hier een week of drie geleden komen wonen.'

'Uit de stad, zeker?' vraagt hij, terwijl hij die woorden onmiddellijk zelf bevestigt door overtuigend geknik met zijn hoofd. 'Ik ben Domien, de boer van de overkant.' Hij strekt zijn arm en maakt een vaag gebaar naar de andere kant van de rivier. 'Zeker wel twee of drie kilometer van hier,' zegt hij, 'toch ben ik de buurman die het dichtst bij u woont.'

'Ik ben Nathalie,' zegt ze, 'mijn man werkt in de stad.'

'Die is dus altijd weg? Dan staat u er hier helemaal alleen voor.' Met zijn hoofd maakt hij een gebaar naar de tuin. 'Een woestenij. Een wildernis zeg maar. Nooit veel aan gedaan. Ligt al jaren te verkommeren. Totaal verloederd. Ook de fruitbomen. Jammer van die goede grond.'

Hij praat in heel korte zinnen, alsof hij ze telkens afbijt voor hij ermee klaar is. 'Een verschrikkelijk karwei. Niets voor een vrouw.'

'Ik ben er toch maar aan begonnen,' zegt ze onzeker. 'Het zal wel maanden duren, maar ik heb tijd.'

'Volgende week kom ik u helpen,' zegt hij, 'zomaar en voor niets.'

Hij wacht niet op haar antwoord. Met grote passen gaat hij naar zijn fiets. Wrijft even met zijn hand over de gladde stam van de boom. Stapt dan met zijn fiets aan de hand naar de brug. Daar blijft hij staan om uitvoerig te plassen. Hoog van op de dijk, met een stevige straal in het water van de rivier.

Na de eerste maand mist ze hier vooral de poes. Het lieve dier dat in de stad alle dagen voor een paar bloemen zorgde. Met haar scherpe tanden had ze de stengels altijd zorgvuldig doorgebeten, zodat er waarschijnlijk weinig of geen schade werd aangericht. In volle winter, als er buiten geen bloemen meer te vinden waren, bracht ze wat plukjes groen mee. Meestal mos, dat ze vermoedelijk met haar klauwen ergens van een dak had geschraapt.

Natuurlijk is de poes mee verhuisd. In de kortste tijd is ze hier verworden tot een ontheemd dier, dat op deze wildvreemde plek zijn draai niet vindt. Traag en lusteloos sluipt ze urenlang en apathisch door de kamers van het huis. De lekkere vleesbrokken laat ze onaangeroerd. Ook de rare neiging om hier en daar wat bloemen weg te halen voor het vrouwtje, lijkt geheel verdwenen.

Amper één week later is ook de poes ineens spoorloos. Nathalie reageert paniekerig op de verdwijning, doorzoekt het huis van zolder tot kelder, speurt de hele omgeving af, loopt roepend door de tuin, onderzoekt de oevers en het water van de rivier, niets baat.

Een man die toevallig met zijn visgerei naar de rivier komt, helpt haar zoeken, maar ook dat blijft zonder enig resultaat. De kat lijkt op onverklaarbare wijze in het niets opgelost.

'Misschien is ze in het water gevallen,' zegt Nathalie, 'en verdronken?'

'Hoelang woont u hier al?' vraagt de hengelaar.

'Nog maar een maand. We komen uit de stad.'

'Dat beest is dus terug naar de stad,' zegt de man resoluut. 'Katten zijn niet gehecht aan de bewoners van een huis, zoals honden, maar aan het huis zelf. Daarom zullen ze na een verhuizing al het mogelijke ondernemen om hun oorspronkelijke thuis weer op te zoeken. Dat kan ze dagen en weken kosten.'

De man merkt dat ze erg in de put zit door de verdwijning van haar poes. 'Trek het u maar niet te veel aan,' zegt hij vriendelijk, 'ik kan u wel een andere kat bezorgen.'

Vincent daarentegen haalt bij zijn thuiskomst onverschillig de schouders op. 'Als ze weg is, zoek je toch een ander beest,' zegt hij nors. 'Ik baal van die herrie om dat rotbeest. Bij de boeren in de omgeving krioelt het van de katten. Om er vanaf te zijn, stoppen ze de jongen bij de geboorte direct in de grond.'

Dat de boeren heel ver weg wonen, voegt hij er niet aan toe. Dat ze hier geen levende ziel kent ook niet. En de simpele gedachte, dat ook een dier na een tijd voor een mens een onvervangbare kameraad kan zijn, dringt niet tot hem door.

'Er hangt hier in huis een heel vreemde geur,' zegt hij bits.

Ze houdt haar hoofd wat achterover, snuift de lucht op en kijkt verbaasd rond. 'Een rare geur?'

'Het komt uit de keuken,' zegt hij.

Ze staat even na te denken, snuift de lucht nog eens diep op en vraagt: 'Naar wat ruikt het hier dan eigenlijk?'

'Naar vet,' zegt hij, 'naar slecht vet.'

'Ruikt dat zo?'

'Het ruikt niet, het stinkt.'

Ze kijkt ontdaan om zich heen, alsof ze het interieur van de woonkamer ineens aan een kritisch onderzoek wil onderwerpen.

'Als het eten slecht ruikt, kan het niet lekker zijn,' zegt hij met een somber gezicht. 'Of heb je er misschien van die rare, zelfgekweekte kruiden in gedaan, waar je nog maar pas mee begonnen bent? Ik wil niet vergiftigd worden. En van gefrituurd kattenvlees hou ik helemaal niet.'

Ze begint erbarmelijk te huilen en stampt wild van woede met de harde hak van haar schoen op de grond. 'Je bent een verrekte rotzak, Vincent,' roept ze. Een gevoel van enorme machteloosheid verlamt haar hele lichaam.

Na een poos herwint ze haar kalmte. Ze gaat naar de keuken, neemt de pot van het vuur en gooit het hele zootje in de tuin. 'Ga maar naar de stad,' zegt ze doodkalm, alsof er niets is gebeurd, 'naar een duur restaurant voor een lekkere, geparfumeerde hap. Maar vergeet niet een van je lieven mee te nemen.'

Hij verroert geen vin. Zit met een verzuurde smoel de krant te lezen, of doet tenminste alsof. De hele avond trekt hij geen bek meer open. Zonder enig mededogen laat ze hem in zijn eigen vet gaar koken.

De volgende ochtend wil hij niet ontbijten. Hij gedraagt zich als een belaagde en beklagenswaardige arme martelaar. Hij drinkt alleen maar een kop koffie, draait intussen wat besluiteloos heen en weer op zijn stoel en zegt quasi terloops: 'Straks zal ik eens in onze oude buurt gaan kijken, en als het kan ook in en om het huis, of de poes er niet is. Als ik ze tegenkom, breng ik haar vast en zeker mee naar huis.'

Zelfs de normaalste en meest voor de hand liggende uitingen van goedheid en menselijkheid ontroeren haar diep en verwekken bij haar een onbestemd gevoel van enorme dankbaarheid. Ook nu weer, ze weet zelf maar al te goed dat het om een zwakheid gaat en dat er een flinke dosis overdrijving mee gemoeid is. Daarom probeert ze het te onderdrukken, maar dat lukt niet. Ze is op dit punt veel te overgevoelig en te kwetsbaar.

De hele dag zit ze ongeduldig te wachten, heen en weer geworpen tussen hoop en teleurstelling. 's Avonds laat arriveert hij thuis, lichtjes bezopen en zonder poes.

'Ik heb niets gevonden,' zegt hij, 'misschien is ze nog altijd onderweg naar ginder, wie weet?' Het klinkt niet eens hoopvol.

Ze onderdrukt haar ontgoocheling. Produceert een vermoeide glimlach en hult zich voor de rest van de avond in een ongemakkelijk stilzwijgen.

'Ik zal volgende week nog eens een kijkje gaan nemen in die buurt,' zegt hij, in een schamele poging haar geschokt vertrouwen terug te winnen. 'Misschien vind ik haar dan wel.'

Een al te doorzichtig alibi voor een in haar ogen ontgoochelende faling. Haar verstand reduceert zijn woorden tot loze, nietszeggende verklaringen.

Misschien is hij vandaag niet eens gaan kijken, denkt ze. Voor de zoveelste keer is zijn reactie er een van onoprechtheid. Een wat stroeve en naargeestige gedachte, die niets opwekkends bezit.

Ach, denkt ze, die moeilijke begintijd is intussen voorbij. Ze woont hier nu al drie jaar en heeft zich aan de omstandigheden aangepast. Haar tuin is mooi in orde en slorpt veel van haar vrije uren op. Zelfs in de winter, als het hier in dit vlakke, open land zonder veel natuurlijke bescherming bar koud kan zijn en de wind laag en ongenadig over de vlakte raast, eisen haar zeldzame en kostbare geneeskrachtige planten en kruiden haar volle aandacht op.

De planten staan dan veilig in de verwarmde serre, achter het glas van de veranda of goed afgeschermd in het schuurtje. Groei, voortplanting, zaad- en vruchtvorming liggen weliswaar stil, maar de zorg om hun welzijn duurt onverminderd voort.

Hun huwelijk is inmiddels een schommelstoel die op en neer hobbelt. Wederzijds ongenoegen, gekibbel en onverdraagzaamheid vreten aan hun relatie. Van hun vroegere, voorbeeldige verstandhouding is niet veel meer overgebleven.

Langzaam maar zeker dooft de liefde uit, zoals een houtvuur dat niet meer wordt gevoed. Toch blijven ze samen, hoewel ze misschien even goed of nog beter uit elkaar zouden kunnen gaan.

Zeven

NATHALIE

Niet alleen het huis is een blikvanger, ook de boom voor het huis trekt de aandacht van sommige wandelaars en fietsers.

Het gaat dan ook om een heel speciale boom. In de zomer heeft hij een weelderig bladerdak en in de herfst verliest hij zijn bladeren. Natuurlijk is dat het lot van de meeste loofbomen. Toch is er een opvallend verschil. Deze boom ziet er anders uit, ongewoner, vreemder.

In de winter verheft hij zijn takken als magere, protesterende armen naar de lucht. In zijn kaalheid zit dan iets overdrevens, iets wat haar ongerust maakt. Maandenlang staat hij er roerloos bij, een treurende reus in een grijs pak, alsof hij door niets of niemand ooit nog tot leven kan worden gewekt.

Pas echter trilt het voorjaar in de lucht, of overal verschijnen botten, die zijn lichaam als puisten overdekken. Zijn schors is niet ruw, maar heel effen. Ze voelt eerder aan als een jonge bast van fijnmazig weefsel of als de niet plakkerige, glanzige huid van een slang.

In de lente verdwijnt de trieste, grijze tint helemaal.

Stilaan begint de gladde stam een gezonde, roodbruine kleur te vertonen. Het bladerdak ontwikkelt zich welig tot een grote, uitwaaierende groene paraplu. De reus is weer aangekleed en opgetuigd voor de zomer.

Van bij het begin, als ze hier nog maar pas woont, stelt ze zich vragen over de eigenaardige boom. Hij behoort niet tot de bekende, overal voorkomende soorten zoals eiken, olmen, beuken, linden of platanen, nee, hij is volgens haar een uitzonderlijk specimen van onbekende herkomst.

Omdat de boom haar niet alleen hevig interesseert, maar ook in hoge mate intrigeert, wil ze meer te weten komen over zijn aard en oorsprong. Daarom rijdt ze op een dag met haar fiets naar de plaatselijke bibliotheek in het dorp. Heel veel boeken over bomen hebben ze daar niet in de rekken staan.

'We hebben nauwelijks vraag naar dat genre,' zegt de bibliothecaresse verontschuldigend. 'De mensen lezen hier eigenlijk niet zo veel, ze zitten meer voor de televisie. Schoolgaande kinderen, studenten, wat jonge mensen en een handvol gepensioneerden, die zien we hier wel, meestal voor kinder- of jeugdboeken, soms wat literatuur of andere fictie. Slechts zelden vraagt er iemand naar een populair-wetenschappelijke titel.'

Na die uitleg pauzeert ze even, alsof ze zich eerst wil beraden over een mogelijk advies of een tegemoetkomende aanvulling. 'Misschien maakt u meer kans in de stad,' zegt ze, 'daar is de bibliotheek natuurlijk heel wat groter en hebben ze op alle gebied veel meer keuze.'

Het vervelende in heel deze kwestie is dat ze de naam van de boom niet kent. Daarom gaat ze niet direct naar de bibliotheek in de stad. Een bezoek aan een tuincentrum lijkt haar in deze fase van haar opzoekingen een beter alternatief.

Als aanknopingspunt neemt ze een blad van de boom mee. Ze overhandigt het aan de jongeman, die zomaar wat staat te lummelen achter de toonbank vooraan in de zaak. Met een ongeïnteresseerd gezicht bekijkt hij het blad. 'Nooit eerder gezien,' zegt hij, 'groen, dat wel, maar die soort hebben we hier niet.'

'Toch is het een boom uit de streek,' zegt ze aanklampend.

Omdat hij merkt dat ze niet van plan is direct op te hoepelen, denkt hij een paar ogenblikken na. 'Ik zal de baas even roepen, misschien weet die het.' Hij verdwijnt achter een woud van planten en komt even later terug met een oudere man.

Aandachtig bestudeert die het blad, eerst de bovenzijde, dan de onderkant. Daarna houdt hij het omhoog tegen het licht, om het nog scherper te bekijken. Zo te zien is dit voor hem geen alledaagse opgave.

'Een waaiervormig blad,' zegt hij, 'dat is duidelijk. Aan de bovenkant onregelmatig getand. Door een nogal diepe insnijding in tweeën gedeeld, dus tweelobbig. Een blad met buitengewoon veel nerven.' Hij neemt zijn tijd om even na te denken. 'Langgesteelde bladeren, die aan kortloten staan,' voegt hij er nog aan toe.

Dat laatste is bargoens voor haar. Zonder iets te zeggen, wacht ze op meer informatie. Tot nu toe vindt ze zijn uitleg wel getuigen van enig vakmanschap, maar aan de andere kant is hij vooralsnog teleurstellend en veel te mager.

'Ik weet het niet,' geeft de man aarzelend toe, 'het zegt me niet zo veel. Waar hebt u dat blad eigenlijk gevonden?'

'Niet gevonden,' zegt ze, 'gewoon geplukt van de boom die voor mijn huis staat.'

'En waar staat dat huis dan ergens?' vraagt hij verrast. Zijn nieuwsgierigheid is gewekt.

'In Niemandshoek,' zegt ze, 'bij de houten voetgangersbrug over de rivier.'

'Daar ben ik nog nooit geweest,' zegt hij haastig, 'woont daar iemand?'

Een heel stomme vraag, natuurlijk. Toch antwoordt ze vriendelijk: 'Ja, ik.'

'Als u even wil wachten,' zegt hij. Met het groene blad voorzichtig in zijn hand sloft hij naar een soort kantoortje. Het is mogelijk dat hij iets wil opzoeken, een bomenboek wil raadplegen of een collega wil bellen voor wat goede raad. Natuurlijk zal hij als vakman niet graag willen toegeven dat hij die boomsoort niet eens kan thuisbrengen.

Hij blijft een hele tijd weg. Als hij eindelijk weer tevoorschijn komt, ziet ze onmiddellijk aan zijn glimlach dat hij iets ontdekt heeft. Met een bijna triomfantelijk gebaar legt hij het blad op de toonbank.

'Dit blad komt van een ginkgo,' zegt hij. 'Feitelijk had ik dat direct moeten weten.' Dat laatste klinkt zwaar overdreven.

'Een ginkgo?' zegt ze verbaasd.

Hij knikt bevestigend, met een gelukzalige uitdrukking op zijn gezicht, alsof hij daarnet de vondst van zijn leven heeft gedaan.

'Een ginkgo biloba, of in onze taal: een Japanse no-
tenboom.'

'Noten?' roept ze verbouwereerd, 'die heb ik bij hem
nog nooit gezien.'

'Dat wil niks zeggen. Die boom van u is wel een zeldzaamheid. Hij moet een van de allerlaatste wilde exem-
plaren zijn. Normaal komt de ginkgo hier niet meer voor
in het wild. Wel wordt hij in Europa hier en daar nog in
cultuur gebracht. Daarom kan het gebeuren dat men
hem hoogst uitzonderlijk eens ziet staan in een laan of
een park, maar dat is niet alledaags.'

'Zozo,' zegt ze, 'een zeldzame ginkgo.' Ze is zo onder
de indruk van het nieuws, dat ze niets anders weet te antwoorden.

'Bij gelegenheid moet ik toch eens een kijkje komen
nemen, daar in die hoek van u...'

'Niemandshoek,' zegt ze bereidwillig en wat overbodig.

Onderweg naar huis herhaalt ze hardop de naam: 'De
ginkgo... de ginkgo...' Een achteropkomende fietser ver-
traagt bij het inhalen en kijkt ongerust haar kant op. Als
hij merkt dat ze glimlacht, rijdt hij kennelijk gerustge-
steld weer door.

Een ginkgo, wat een wonderlijke naam voor een
boom. In het Japans klinkt dat misschien heel gewoon,
maar hier is het een hoogst uitzonderlijk woord en bovendien voor iedereen onverstaanbaar.

Weer een dag later rijdt ze vol ongeduld naar de kleine stad. De bibliotheek daar beschikt over een niet onaardige plank gevuld met de meest uiteenlopende boeken over bomen, struiken, heesters en al wat maar
enigszins groen is.

Een paar uren lang zit ze zonder onderbreking te snuffelen en te zoeken in een stapel boeken. Nu en dan kijkt ze vol aandacht naar een foto of een tekening. Ze bestudeert een schets van het waaiervormige, tweelobbige blad met de vele nerven. Intussen neemt ze de hele tijd ijverig notities. Sommige boeken bevatten heel wat informatie over de ginkgo, terwijl andere, vreemd genoeg, niet eens de naam van haar unieke boom vermelden.

De oorspronkelijke naam van de ginkgo blijkt volgens het onderschrift bij de onleesbare Chinese lettertekens *Gin-kyo* te zijn, later en elders verbasterd tot ginkgo. De Latijnse benaming is inderdaad *Ginkgo biloba,* zoals de baas van het tuincentrum haar gisteren verteld heeft. In een van de geraadpleegde boeken wordt gesuggereerd, dat de boom waarschijnlijk niet meer in het wild voorkomt. Dan moeten die wetenschappers maar eens een kijkje komen nemen in Niemandshoek, denkt ze vol leedvermaak.

Veel pregnanter vindt ze de historische gegevens over haar uitverkoren boom. Fossielen van de ginkgo zijn gevonden in China. Zij dateren uit de tijd van het Mesozoïcum, aan de hand van de aardlagen beter bekend als Trias, Jura en Krijt. Dat is het tijdperk van de grote, inmiddels al heel lang uitgestorven reptielen en hagedissen, die onder de verzamelnaam *Sauriërs* in de wetenschappelijke literatuur vermeld staan.

Sauriërs – de naam komt van het Griekse woord *sauros,* dat hagedis betekent – zijn de al lang van de aardbol verdwenen amfibieën en reusachtige, hagedisachtige reptielen. Soms worden ze nog eens uit de lappenmand gehaald en opgevoerd in films, die tegelijk iets infantiels en angstaanjagends hebben.

Heel interessant vindt ze de vermelding dat de ginkgo in onze tijd de enige nog overlevende soort van bomen uit een grote plantenfamilie is die zowat tweehonderd miljoen jaren geleden – de tijd van de sauriërs – over de hele wereld verspreid was.

In 1727 is de ginkgo voor het eerst uit Japan naar Europa gekomen. In Oost-Azië kwam hij toen al eeuwenlang voor als uitverkoren boom voor parken en lanen en werd hij overal als sieraad aangeplant bij de vele tempels.

Daarentegen leest ze in een ander naslagwerk dat de ginkgo oorspronkelijk uit China komt, namelijk uit de provincie Sinkiang. Nu, China of Japan, veel verschil maakt het voor haar niet uit. Aziatisch, spleetogen en rijst, denkt ze ironisch. Alleen maar overeenkomsten, verschillen kent ze niet.

Ook in Europa past de vreemde boom na de invoer uit Azië zich uitstekend aan. Bovendien blijkt hij heel geschikt voor ons wispelturig klimaat. Verdere informatie leert haar dat de ginkgo, voor zover hij vandaag de dag hier en daar nog aanwezig is, verbazend goed bestand blijkt te zijn tegen allerlei vormen van pollutie, onder meer tegen luchtvervuiling door rook, benzinedampen en uitlaatgassen. Daar zal haar geliefde boom in deze afgelegen buurt geen last van hebben.

Weer thuis leest ze haar in der haast neergepende notities nog eens na. Een nerveus handschrift, hier en daar nauwelijks te ontcijferen en zelfs voor haar moeilijk leesbaar.

De mannelijke bomen zijn heel sierlijk. Een slordige krabbel op haar papier. Waarom heeft ze die onderstreept? Als bloeiwijze hebben ze katjes, die in het voor-jaar gelijktijdig met de bladeren verschijnen.

De vrouwelijke bloemen lijken op eikeltjes met korte stelen. Ze bevinden zich in de oksels van de schutbladen, die een beetje op schubben lijken. In het najaar brengen ze een kersachtige schijnvrucht voort, met een dunne, groene huid. In de herfst zijn die meestal geel van kleur, soms roodgevlekt. De bolvormige vruchten hebben een vlezige buitenkant en verspreiden een onaangename geur. Ach, die arme, vrouwelijke planten, grapt ze. Ook daar al in een mannenwereld en geen snuifje parfum in de buurt.

Ze trekt een dikke streep door die notitie. Gelukkig heb ik geen vrouwelijke, maar een mannelijke boom, lacht ze. Een oersterke reus, of bij wijze van spreken een beer van een boom. Hij kan wel dertig tot veertig meter hoog worden.

In een van de boeken heeft ze gelezen dat het op zijn minst dertig jaren duurt, voor de boom tien meter hoog is. Ze schat de hoogte van haar boom op vijftien meter. Normaal moet hij nu dus een goede vijfenveertig jaar oud zijn. Dat wil zeggen in de fleur van zijn leven en bruisend van mannelijke kracht.

Acht

JONATHAN

Hij springt gezwind op zijn fiets en koerst in een hoog tempo naar Niemandshoek. Op het laatste, slechte stuk slingert hij zich met de behendigheid van een volleerde cyclo-crosser langs en tussen de verraderlijke kuilen. Met een ruk aan het stuur wipt hij over de diepe putten in het uitgeteerde wegdek.

Bij het huis knijpt hij zijn remmen dicht. Het is zaterdag, geen school, een zee van tijd. Even staat hij te luisteren, het hoofd wat schuin naar voren. Van de overkant van de rivier komt het woeste geblaf van een roedel honden aangewaaid. Hij gooit zijn fiets op de grond en loopt nieuwgierig naar de brug.

Van op de brug kan hij het schouwspel aan de overkant moeiteloos volgen. Mannen met lichtkleurige broeken en vuurrode vesten rijden te paard dieper het land in. Op hun hoofd allemaal hetzelfde rare, zwarte petje. Op hun rug bengelt een geweer. De hele meute wordt gevolgd door een uitgelaten, blaffende bende honden, met witte vlekken op hun lage, rosbruine lijven.

Dichterbij lopen mannen rond zonder paard. Sommigen hebben wel een geweer en een hond, de meesten dragen alleen maar een lange stok, anderen torsen een soort zelfgemaakte blikken trommels.

Nu rept hij zich vliegensvlug naar het huis van Nathalie om haar het nieuws te vertellen. Met een gezicht rood van emotie loopt hij de woonkamer binnen. Nathalie zit aan de tafel. Voor haar, uitgespreid op een stuk krantenpapier, liggen jonge plantjes die ze zorgzaam aan het sorteren is.

De eerste ogenblikken is hij buiten adem van de spanning en van het lopen; hij kan nauwelijks een woord uitbrengen. Met gestrekte arm wijst hij in de richting van de rivier.

'Kalm aan, Jonathan,' zegt ze rustig, in een vergeefse poging om zijn opwinding te bedwingen. 'Wat is er ginder aan de hand?'

'Daarginds, in de wildernis, krioelt het van de mannen,' roept hij. Het woeste land aan de andere kant van de rivier noemt hij steevast, met jeugdige zin voor avontuur en overdrijving, de wildernis. 'Allemaal mannen met paarden, honden en geweren.'

'Dat is hier niet ongewoon, beste jongen,' zegt ze kalm.

'Sommigen van die kerels hebben lange stokken bij zich en anderen dragen blikken bussen met zich mee.' Hij is intussen tot rust gekomen en praat weer normaal.

'Door de verhoogde dijk kunnen we 't vanhieruit niet meer zien,' zegt ze. 'Kom, we gaan naar boven om te kijken.' Ze wenkt hem mee naar de trap.

Door het raam in de zijgevel van de bovenverdieping hebben ze een schitterend, panoramisch uitzicht op de streek. De rivier meandert in een lange s-bocht voorbij. Aan de overkant ligt het verwilderde, vlakke land, moerassig en doorsneden door grillige beekjes.

Zover het oog reikt zijn er plassen, groeit er riet, staan er struikgewas, verloederde heesters, wilde bloemen en planten, alleenstaande bomen en kromme, reumatische knotwilgen.

Heel in de verte, aan de rechterkant, is de vlakte afgesloten door een muur van donkere bomen, daar ligt het iepenbos. Het is een heel vreemd aandoend, desolaat landschap, waar op andere dagen geen levend wezen te bespeuren valt. Voor de mens een onherbergzaam en onbewoonbaar gebied.

'Wie zijn die mannen?' vraagt hij.

'De jagers,' zegt ze, 'de graaf en zijn vrienden. Of beter: zijn kornuiten.'

'Is de graaf daar ook bij?'

'Gewoonlijk is hij de aanvoerder van de hele bende. Je moet weten, Jonathan, dat de graaf en zijn voorouders al eeuwenlang een groot gedeelte van de streek als eigendom in hun bezit hebben. Die fel verwaarloosde en verlaten vlakte aan de overkant van het water, is een van zijn uitverkoren jachtgebieden.

Het hele jaar door ligt het land er wild bij, als een echte woestenij. Het wordt door niemand ontgonnen of bewerkt. Als er een boom door de bliksem wordt getroffen of gewoon omwaait, wordt hij niet opgeruimd. Hij blijft er liggen tot hij rot is en vergaat.'

Jonathan staat met een ernstig gezicht te luisteren. Ze heeft een boeiende, wat slepende stem en haar ogen krijgen een speciale glans als ze aan het praten is.

'Natuurlijk is dit een ideaal oord voor bos- en water-wild,' zegt ze, 'een echt aards paradijs voor kleine dieren die hier in volle vrijheid in het wild kunnen leven.'

'Vandaag niet,' zegt Jonathan, 'vandaag kruipen ze bang weg in hun holen.'

'Het is een onbewoond gebied,' zegt ze. 'Kilometers in het rond staat er geen enkel huis, geen enkele hut of stal. Daarom zal deze afgelegen plek wel Niemandshoek he-ten. Een toepasselijke naam.'

'Vandaag is het oorlog in Niemandshoek,' zegt hij.

'Gelijk heb je.' Ze onderstreept haar woorden met een krachtig gebaar. 'Op andere dagen zie je hier geen leven-de ziel. Vandaag wordt de wildernis overrompeld en be-zet door jagers met hun paarden, honden en lijfeigenen. Dat is alles.'

'Waarom hebben ze die lange stokken en die rare trommels bij?' vraagt hij.

'Om lawaai te maken, natuurlijk. Daarmee jagen ze he. wild voor zich op. De hazen, konijnen, eenden, fa-zanten, patrijzen en noem maar op slaan in paniek op de vlucht voor dat oorverdovend lawaai. Ze rennen, vliegen of zwemmen naar de andere kant, de kant waar de jagers hen staan op te wachten. Ze hoeven alleen nog maar te schieten.'

'Waarom doen ze dat?'

'Wat bedoel je?'

'Jagen, al die dieren doodschieten. Toch niet van de honger?'

'Van de honger zeker niet. Uit tijdverdrijf en omdat ze toevallig niets anders om handen hebben. Ze beschou-wen de jacht als een uitdaging, als een edele vorm van sport.'

'Ik kan niet tegen de dood,' zegt hij stil.

'Rustig maar,' zegt ze. 'Ik begrijp je maar al te goed, na alles wat je hebt meegemaakt. Maar leven en dood zijn nu eenmaal met elkaar verbonden.'

'Bijna had hij mij te pakken.' Hij neemt haar hand en knijpt erin, een gebaar van grote dankbaarheid. 'Ik verdraag dat ellendige woord niet meer, het maakt me bang.'

Van de jagers op hun paarden en de meute blaffende honden is intussen al lang niets meer te zien. In de verte verdwijnen nu ook de overige mannen, het voetvolk, als onduidelijke schimmen achter het dichte struikgewas. Nu en dan weerklinkt van ver de echo van een geweerschot.

Met een stuurs gezicht staart de jongen naar buiten. Het is meer dromen dan kijken of zien. Als Nathalie haar hand op zijn schouder legt, schrikt hij ineens op uit zijn verdoving.

'Kom,' zegt ze vriendelijk, 'we gaan weer naar beneden. Ik heb nog wat jonge plantjes voor in de tuin. Wil je me daarmee helpen?'

Zijn gezicht heeft nu een bleke kleur, hij knikt met een afwezige blik, maar zegt geen woord. Zijn gedachten dwalen af naar de wildernis, naar de ongelijke oorlog tussen de goed gewapende jagers en de weerloze, opgejaagde dieren.

In het perk met de geneeskrachtige planten en kruiden stoppen ze samen heel omzichtig en zorgvuldig de frêle jonge scheuten in de grond. Eerst kijkt hij oplettend toe hoe zij te werk gaat. Daarna volgt hij nauwkeurig haar voorbeeld.

'Wat zijn dit voor plantjes?' vraagt hij nieuwsgierig. Altijd wil hij er het fijne van weten.

'Klein hoefblad,' zegt ze. 'Vind je ook veel in het wild, op bermen, dijken en ruige stroken. Vooral op plaatsen waar gras groeit.'

'Waarom noemen ze het hoefblad, Nathalie?'

'Omdat het blad op een paardenhoef lijkt, daarom. In het Latijn hebben ze het over *tussis*, dat heeft iets met hoest te maken. Heel lang geleden, in de Oudheid, werd de plant in Griekenland al gebruikt voor mensen die aan astma leden. De bladeren werden verbrand en de zieken moesten de rook inademen om te genezen.'

'Gebruik je die plant hier ook nog?'

'Natuurlijk, jongen, anders zou ik ze niet planten. Het blad zelf is nuttig bij de behandeling van wonden die ontstoken zijn. Ook kan ik er thee van maken. Dat is een goed, natuurlijk middel tegen hoestaanvallen. Bovendien geschikt als er problemen zijn met de ademhaling of bij ontsteking van de luchtwegen.'

Hij is een en al oor. Vol bewondering luistert hij naar haar uitleg. 'Je tuin is een echte apotheek,' zegt hij.

'Ik kweek hier veel planten en kruiden die de mensen van allerlei kwalen kunnen genezen,' zegt ze. 'Maar vergis je niet, Jonathan, ze zijn ook gevaarlijk. Heel veel planten zijn geneeskrachtig en tegelijk flink giftig. Neem bijvoorbeeld de doornappel. Door zijn gif kun je daar als huismiddel niks mee aanvangen. In de homeopathie wordt het wel eens aangewend tegen zenuwpijnen of als de normale werking van de geest gestoord is.'

Hij fluit bewonderend. 'Je weet er heel wat van af, Nathalie. Waar heb je dat allemaal geleerd?'

'Uit allerlei boeken,' zegt ze, 'en van een paar oude mensen, die het op hun beurt van hun ouders en voorouders hebben geleerd.'

Daarna wieden ze onkruid in de bedden met volgroeide planten. Heel in de verte is er nu en dan het geluid van een schot en het opspattend geblaf van honden.

In de vooravond eten ze samen. Vincent zal pas veel later weer naar huis komen, dat is ze gewend. Jonathan zit als een oester opgesloten in zijn zwarte schelp. Ze probeert hem op te monteren, maar dat lukt niet. Duistere gedachten blijven als onzichtbare kraaien om hem heen cirkelen.

Terwijl ze zo samen zitten, tegelijk solidair en geïsoleerd, aanwezig en toch ver weg, horen ze buiten het rumoer van de terugkerende jagers. Gelijktijdig staan ze op en gaan ze naar buiten om te kijken.

Tegen de rug van de rivierdijk ligt de jachtbuit tentoongesteld. Dode hazen en konijnen, mannetjesfazanten in hun kleurrijk verenpak, patrijzen, eenden, een jong everzwijn en zelfs twee jonge reeën met verbaasde, wijd opengesperde ogen. Allemaal op rijen en per soort bij elkaar. De jagers zien er welvarend en zelfvoldaan uit. Ze praten luid en opgewekt en drinken borrels uit piepkleine glaasjes en uiteraard witte en donkergroene flessen.

Verbijsterd kijkt Jonathan naar het ongewone schouwspel. 'Wat een uitstalling van mooie, lieve beesten,' zegt hij, 'een paar uur geleden nog boordevol leven en nu voor altijd dood.'

'Dat doen ze altijd, zo'n expositie,' zegt Nathalie. 'Ze noemen dat het tableau van de jacht.' Haar stem klinkt gedempt. Misschien is ze bang om iets onaardigs te zeggen over de jacht en bang voor de invloed van de jagers?

Jonathan slentert terug naar het huis. Nathalie volgt hem op de voet, ze voelt dat hij geshockeerd is door het schouwspel. 'Al die dode beesten,' zegt hij, 'ik word er kotsmisselijk van.'

'Je mag niet zo gevoelig zijn,' zegt ze welgemeend. 'In deze wereld is er helaas van langsom minder plaats voor ontroering en gevoel. Het menselijk medeleven raakt hopeloos zoek. Dat is jammer, Jonathan, maar wat kunnen jij of ik daaraan verhelpen?'

Hij kijkt achterom. 'Een dijk vol dode dieren,' zegt hij, 'en daaromheen een groep lachende en lallende mensen, die vrolijk een borrel drinken na de gewonnen veldslag.' Het klinkt heel bitter uit zijn mond.

'Sommige mensen gaan met verrekijkers de vogels bestuderen,' zegt ze. 'En weer anderen, zoals deze heren, beweren dat ze de natuur beheren met knallende jachtgeweren. Onze prachtige, blauwe planeet zit heel raar in elkaar, Jonathan.'

Negen

BARBARA

Ze heeft het tegelijk ontzettend druk en zeer naar haar zin in de school waar ze als kleuterleidster alle dagen actief is. Met het klasje heeft ze haar handen meer dan vol. Die voortdurende bezigheid eist een niet-aflatende alertheid, maar schenkt haar ook een prettig gevoel van vertrouwen en voldoening.

Alleen de overdreven bemoeizucht van bepaalde ouders en het gekanker en gekissebis van een clubje malcontente collega's, vindt ze sommige dagen erg irritant. Van kleine conflicten en twistzieke toestanden wil ze niet weten. Ze houdt zich op de achtergrond en bemoeit zich niet met de dagelijkse compromissen en tijdelijke oplossingen. Voor haar betekent dat een oefening in gezond verstand en zelfbeheersing, niets meer.

Daarom heeft ze voor die herrie geen goed woord over. De hele kwestie kan herleid worden tot jaloerse oprispingen en een opvallend gebrek aan samenhorigheid en tolerantie. De kleine school is gewoon niets anders dan een blauwdruk van de grote, onverdraagzame wereld, zo simpel zit het in elkaar.

Haar opgewekt karakter vormt een beschermende dam tegen somtijds opduikende somberheid en eventuele buien van neerslachtigheid. Tijdens de dag heeft ze die levendige, bonte bende kleuters om zich heen. De rest interesseert haar niet.

Zodra de schooldeur achter haar in het slot valt, begint ze aan haar eigen, onafhankelijk bestaan. Het zoete, vrije leven; aan niemand is ze rekenschap verschuldigd voor haar doen en laten.

Dwang en onvrijheid zijn in haar ogen onredelijke, verwerpelijke begrippen. Met enig gevoel voor lyrische overdrijving zou men kunnen stellen, dat zij als een vrolijke, speelse vogel klapwiekend boven een wereld van gekooide en gekiste mensen vliegt.

Nu en dan speelt ze met de idee van een serieuze, vaste relatie, maar die gedachte schuift ze haast onmiddellijk weer aan de kant. Ze is nu zevenentwintig, dat wil zeggen nog tijd zat voor een man en een kind. Op dit ogenblik voelt ze helemaal geen behoefte aan de voortdurende aanwezigheid van zeventig of tachtig kilo man in haar flat, haar bad en haar bed.

Aan de andere kant is ze allesbehalve bang van een avontuur, een flirt of een slippertje. Ze is verstandig genoeg om het gefleem en gevlei van sommige verliefde mannen te relativeren. Ook als ze maar al te goed weet dat zo'n opgefokte kerel er niets van meent, vindt ze zijn opgesmukte woordkeus niet onaangenaam. Een andere keer is het alleen maar een lachwekkende vertoning, iets dat halfweg ligt tussen een demonstratie en een exhibitie.

Barbara is een jonge vrouw met een bijwijlen wat wispelturig en moeilijk te ontwarren karakter. Een vrouw van deze tijd, dat zeker, maar als het erop aankomt nog even onzeker en kwetsbaar in de liefde als haar seksegenoten van vorige generaties. Kortom, een serie van ondoorzichtige, complexe toestanden en een verward, chaotisch liefdesleven.

Daarentegen is ze voldoende evenwichtig en intelligent om niet in allerlei valkuilen en hinderlagen te lopen. Ze hoedt zich voor al te risicovolle avonturen, ook al beseft ze maar al te goed dat een verhouding met een gehuwde man niet direct als gevaarloos kan bestempeld worden.

'Verliefdheid is te vergelijken met een griepvirus,' zegt ze spottend. 'Het levert een hoop gevoelens van onrust en onlust op. Ineens heeft het je te pakken, medicatie ertegen bestaat niet en gelukkig gaat het weer vanzelf over. Tenslotte betekent het niets meer dan een kortstondige overwinning van het hart op het verstand.'

Voor zichzelf heeft ze als beschermende factor een eigen, nogal kil aandoende marmeren muur opgetrokken. Eigenlijk gaat het bij haar meer om een wat ontluisterende kijk op de liefde als symbool en verheven droombeeld van vooral jonge mensen. Hoewel ze zelf nog jong is, heeft ze ervaring genoeg om te weten wat er in de wereld wel en niet te koop is.

De wazige droomwereld van de liefde is een begoocheling, denkt ze. Vroeg of laat – als de liefde voorbij is – ontwaakt men met een kater en een bittere smaak in de mond. De hersenschimmige toestand verdwijnt weliswaar, maar al te vaak blijft hij nog een tijdlang de oorzaak van een gevoel van immense leegte en grote eenzaamheid, doortrokken met fysieke en geestelijke pijn-scheuten.

Anderen zullen met graagte beweren dat de liefde de enige opbouwende en reddende kracht is in een men-senleven. De liefde als unieke reddingsboei voor de vele vormen van onheil die het arme individu belagen. De liefde die de eenzaamheid verjaagt. Die in een handom-draai het probleem van koude handen en voeten in de winter oplost. Kortom, de liefde als pijnstillende aspiri-ne, drug en slaapmiddel.

Ze doen maar. Vooralsnog kijkt zij er heel anders te-genaan, zakelijker en met een ongewone jeugdige nuch-terheid. Als zij in haar leven éénmaal de fascinatie van de echte, onvoorwaardelijke liefde zal beleven, zal zij waar-schijnlijk met veel genoegen afscheid nemen van haar re-alistische visie van vandaag.

In haar ogen is de liefde tenslotte niets meer dan een trap die naar een onzichtbare bestemming leidt. Op die trap kun je bovenaan staan, in het midden of helemaal onderaan. Veel verschil maakt dat niet uit. De treden van de trap bestaan uit broze illusies. Bij het minste stootje of windje kun je erdoor zakken en hopeloos naar bene-den donderen.

Straks komt Vincent weer op bezoek. Vincent met zijn pralines en zijn mooie praatjes. Hij is voor haar iets van voorbijgaande aard, te vergelijken met de vlucht van een trekvogel, iets heel tijdelijks dus. Ze zullen een pot-je vrijen, omdat ze dat alletwee nu eenmaal graag doen en er mateloos van genieten. Daarmee is misschien veel, maar niet alles gezegd.

'Ik ben geen echte levenskunstenaar,' zegt ze hardop,

'wel iemand die altijd zin heeft in het lieve leven. Een vrouw die de liefde als een lust ervaart en ze daarom zonder schroom of schaamte op zich af laat komen.'

Strikt genomen betekent Vincent niets meer dan een episode in haar leven. Na afloop zal hij voorgoed uit haar gezichtsveld verdwijnen en meteen is die verhouding voor eeuwig voorbij.

De herinnering wordt onverbiddelijk uitgewist, verdrongen. Ze verschrompelt geleidelijk tot een nietszeggend, banaal fait-divers uit haar bestaan. Bij het scheiden van de markt, zullen er geen winnaars zijn, alleen maar onverschilligen en verliezers.

De tijden zijn grondig veranderd. Vroeger ging de man zelfbewust en met enig machtsvertoon op jacht naar de vrouw. De onweerstaanbare veroveraar op zoek naar een prooi. Nu snuffelt hij alleen nog maar wat doelloos rond. De vrouw kiest de man, niet omgekeerd. Het hert vangt de jager. Een moderne versie van een oude fabel.

Almaar vaker speelt de vrouw een overheersende rol in de seksuele relatie. Mannen worden gereduceerd tot een dagelijks groter wordende massa modale, onderdanige en serviele kerels, bijzonder geschikt voor het zwaardere en vuilere werk en voor wat huis- en tuinklussen. Ze heeft de man nog nodig voor de lol of de lust en eventueel voor de bevruchting, maar zelfs dat laatste is door de nietsontziende wetenschap al voorbijgestreefd.

Van die gewijzigde machtsverhouding maken veel vrouwen vandaag de dag hard en handig gebruik om hun leven comfortabel in te richten en hun toekomst veilig te stellen. Zonder veel poespas en omwegen manipuleren zij de man en dringen ze hem onmerkbaar terug in de rol van appel voor de dorst of van polis voor een lonende levensverzekering. Het is een sarcastisch, zelfs cynisch beeld van de hedendaagse werkelijkheid, waar ze hartelijk om kan lachen.

Vandaag heeft hij bloemen meegebracht plus een fles rode bordeaux. Zijn gezicht ruikt naar vers aangebrachte aftershave en zijn bek naar licht verschaald bier.

'Het ruikt hier verdomd lekker,' zegt hij.

'Ik heb zelfbereide lasagne verde in de oven staan,' zegt ze. 'Ik neem aan dat je dat lust.'

Hij antwoordt niet, snuift de heerlijke etenslucht uit de keuken op en spreidt zijn beide armen als een prekende profeet. Daarna doet hij zijn jas en schoenen uit en zakt hij met een gelukzalig gezicht weg in een van haar zwartlederen fauteuils.

'Hoe is het eigenlijk met Nathalie?' vraagt ze op de man af. Gepikeerd kijkt hij op. 'Ik heb je de laatste tijd geen woord meer over haar horen zeggen.'

'Altijd hetzelfde,' zegt hij nonchalant, 'status-quo op alle fronten.'

'Dus niet beter en niet slechter?'

'Nog altijd moeilijk en onevenwichtig, licht gestoord en onberekenbaar.'

'Waarom blijf je eigenlijk bij haar? Je beweert altijd opnieuw dat het je daarginds niet bevalt en dat je er tenslotte niks aan hebt, tenzij saaiheid en eindeloze verveling?'

Hij haalt de schouders op. 'Misschien ga ik op een dag wel weg,' zegt hij, 'ik zing het nog even uit, kijk de kat uit de boom, daarna zie en weet ik het wel.'

Een klassiek antwoord van Vincent, dubbelzinnig en nietszeggend. Zoals altijd schuift hij de verantwoordelijkheden voor zich uit. Vandaag ook weer, met die steeds terugkerende, vage belofte dat hij Nathalie eens zal verlaten.

Vincent is een vriendelijke charmeur, dat wel. Een radde prater met gevoel voor humor en een zachtmoedige minnaar. Dat is al heel wat voor een man.

Na het eten gaan ze naar bed en vrijen ze uitbundig met elkaar. Twee geile geliefden zonder remmingen. Hij is vandaag zo hitsig en driest als een jonge hengst. Zijn ritmisch gebeuk maakt haar bijna zeeziek, ze remt hem af. 'Niet zo wild, Vincent,' zucht ze aan zijn oor, 'het is geen snelheidswedstrijd.' Daar moet hij luid om lachen.

Ze nestelt zich dicht tegen hem aan. Eigenlijk is hij een toffe, tedere minnaar. Toch wil ik mijn leven niet laten dicteren door een man, denkt ze, daar voel ik me veel te onafhankelijk voor. Zoals altijd rebelleert ze tegen bestaande voorschriften en toestanden van onvrijheid en gebondenheid.

Toegegeven, hun liefdesrelatie is heel opwindend en passioneel, maar tegelijk is ze van bij de aanvang al gedoemd om te mislukken. Intuïtief voelt ze aan dat Vincent de verkeerde man in haar leven is. Een soort passant, die komt en gaat. Op een dag zal hij niet gaan, gewoon omdat hij niet meer gekomen is.

Tien

NATHALIE

In het bewaren van geheimen zijn vrouwen zonder enige twijfel meer op hun hoede en veel standvastiger dan mannen. Nathalie is voor de anderen geen open boek. Ook in haar nog jonge leven zijn er donkere plekken, die ze liever onbelicht laat.

'Als je een of ander geheim wilt bewaren, moet je kunnen zwijgen als een graf,' zegt ze. 'Je kunt moeilijk verwachten dat iemand anders erover zwijgt, als je het zelf niet eens kunt verzwijgen.' Ze praat vaker in zichzelf, meestal heel ernstig in bedachtzame monologen met een diepere, haast wijsgerige ondergrond.

Ze zit voor het raam in haar woonkamer. De gordijnen zijn opzijgeschoven. Vertederd kijkt ze uit over het wijde land onder een lichte lentezon. Het blinkend slakkenspoor van de rivier kronkelt loom naar de zee. Het oppervlak van het water wemelt van onzichtbaar leven.

Aan deze zijde van het water liggen de vette graslanden, dichtbehaard met groen, waarin ver weg ontelbare schapen als warrige, witte wolken ronddrijven. Dit is een uitzonderlijk land, mooi in die volstrekte verlatenheid, waarin geen spoor van menselijk leven te bekennen valt.

Haar gedachten dwalen af naar vroeger. De tijd dat ze nog in de stad woont en er les geeft aan de middelbare school. Ze is op dat ogenblik een jaar of vijf getrouwd, haar leeftijd klimt naar de dertig. Haar leven is druk, maar kommerloos.

Een gevoelig punt duikt altijd weer op in haar gedachten. Het onblusbaar verlangen van toen naar een kind. Niet zomaar uit een traditionele behoefte aan voortplanting of kinderbezit. Veeleer gaat het om een overstelpend gevoel van moederliefde. Een vreemd mengsel van egoïsme, zelfbehoud en opoffering.

Vincent wil er niet van weten, zelfs niet over praten. Dat zit haar onuitsprekelijk dwars. In die tijd speelt ze meer dan eens met de idee om elders aandacht en vertroosting te zoeken. Een korte, seksuele relatie buiten haar huwelijk. Niets duurzaams, met van haar kant als enig doelwit zwanger worden en een kind baren.

Natuurlijk ziet ze bij nadere overweging het dwaze van haar voornemen in. Toch blijft het haar hardnekkig bezighouden. Er mag dan wel beweerd worden dat het vooral zwakke karakters zijn die grote plannen maken, voor haar is dat in deze situatie van geen tel.

Overigens vindt ze van zichzelf dat ze over een sterk karakter beschikt en dat haar plan niet groot is, maar idealistisch. Haar drijfveer is volkomen zuiver, want het gaat bij haar alleen maar om een begrijpelijk streven naar het moederschap. Dat is een heel menselijk oogmerk en, om het zacht uit te drukken, een edele beweegreden.

De kans op een kortstondige, erotische relatie met een andere man, doet zich veel eerder voor dan ze in haar stoutste dromen heeft durven denken. De scholenge-meenschap vertrekt voor een week naar de bosklassen op het platteland. Een jaarlijkse brok educatie in een gezond natuurkader. De groep wordt om praktische redenen in tweeën gesplitst. De jongere scholieren trekken met hun leerkrachten naar een andere bestemming dan de leer-lingen en docenten van de hogere klassen.

Nathalie logeert met haar collega's in een groot uitge-vallen familiepension in een pittoresk heuvelland. De lessen vinden plaats in redelijk ruime, gerieflijk inge-richte bijgebouwen, waar zich ook de slaapzalen voor de jongeren bevinden. De leerkrachten hebben een beurt-rol opgesteld voor toezicht op en bewaking van het jeug-dige volk.

Een van haar collega's is Joris, leraar Frans. Een rijzi-ge, vlotte man, beschaafd in zijn optreden en hartelijk in de omgang. Zijn vrouw heet Caroline, ook lerares in hun school, maar nu met de jongere scholieren tijdelijk op een andere locatie.

Caroline is een drukdoend schepsel, losjes en met een air van ongegeneerdheid. Op feesten en fuiven krijgt ze onveranderlijk een neiging tot losbandigheid. Meestal drinkt ze te veel, terwijl ze geen sterke drank verdraagt, springt wild in het rond, gilt met schrille uithalen de he-le buurt bij elkaar en is alleen nog maar ordinair, vulgair, straalbezopen en kotsmisselijk.

Het moment voor Joris om met nauwelijks verholen schaamte en zo onopvallend als het maar kan – wat in de gegeven omstandigheden een onmogelijke opgave is – in te grijpen en zijn lallende, laverende madame Lazarus naar huis te sleuren.

Eigenlijk twee mensen die in het geheel niet bij elkaar passen en toch op onbegrijpelijke wijze aan elkaar klitten en samen blijven. Een van de twee is voor de rest van zijn leven gedoemd om een grote plas water bij zijn wijn te doen. Voor iedereen is het duidelijk dat in deze curieuze relatie de rol van onderdanige underdog is weggelegd voor de gereserveerde, erudiete Joris.

De eerste avond zitten ze allemaal samen nog wat na te praten bij een goed glas wijn. Ze zijn moe van de reis en de buitenlucht en van de drukte die een volksverhuizing als deze onvermijdelijk meebrengt.

De volgende avond zijn ze al ingeburgerd en blijven ze langer op. Ze drinken meer en praten veel drukker en uitvoeriger over allerlei schoolse en vooral andere aangelegenheden. Die avond blijven Joris en Nathalie het langst van allemaal beneden. Onder hun beidjes zitten ze nog wat te drinken en te smoezen. De kastelein heeft de buitendeur afgesloten en is op zijn beurt naar boven gesloft.

Op een bijna vanzelfsprekende wijze duurt hun samenzijn nadien nog voort in dezelfde kamer en in hetzelfde bed. Eerst zoenen ze elkaar heel voorzichtig, zoals twee parkieten. Dan breekt de opgespaarde hartstocht in alle hevigheid los. De liefde van twee mensen is het allermooiste wat er op de wereld te beleven valt.

Natuurlijk mag dat samenzijn geen infantiele kanten hebben, maar dat risico bestaat voor hen niet. Alletwee zijn ze heel ervaren in het liefdesspel. In deze volkomen onverwachte, seksuele situatie lopen ze over van passie en tederheid voor elkaar.

'Soms voel ik me diep ongelukkig, al weet ik zelf niet

waarom,' zegt ze, 'maar vandaag overkomt me iets on-vergetelijks, iets wat me heel gelukkig maakt.'

'Ik heb ook mijn donkere momenten,' zegt hij, 'met een vrouw als Caroline valt dat niet moeilijk te verkla-ren.'

Van de daaropvolgende nachten brengen ze er nog twee in elkaars gezelschap door. Ze gaan daarbij heel be-hoedzaam te werk en blijven gelukkig onopgemerkt voor de anderen. Dan is de uitzonderlijke schoolweek op het platteland alweer achter de rug. De autobussen staan klaar om de kleurrijke, joelende bende weer naar de stad te brengen.

'Ik hoop dat we elkaar ook ginds nog kunnen ont-moeten,' zegt hij bij het afscheid.

'Misschien,' antwoordt ze ontwijkend, 'we zien wel.'

Een zestal weken later blijkt ze, tot haar ongeveinsde ver-bazing, in verwachting te zijn. Een warm gevoel van blijdschap doorstroomt haar lichaam. Een bezoek aan de gynaecoloog brengt de bevestiging van haar zwanger-schap. De vriendelijke arts feliciteert haar met de in ver-vulling gaande kinderdroom.

Dat is de mooie kant van de medaille, maar hoe moet het nu verder? Ze begint zich geleidelijk zorgen te maken over allerlei consequenties, waar ze eerst niet eens heeft bij stilgestaan. Natuurlijk zal haar kind niet op Vincent lijken. Tijdens de voorbije weken heeft ze niet eens met hem gevrijd. Vanzelfsprekend kan ze een schamele po-ging wagen om alsnog de schijn te redden.

Stel dat de baby ook niet op haar zal lijken, dat er in zijn gezichtje geen spoor van haar zal terug te vinden zijn? De kans is niet gering dat de kleine hij of zij fysiek het evenbeeld zal zijn van Joris. In dit besloten, kleinburgerlijk milieu voor iedereen duidelijk herkenbaar als zijn zoon of dochter. Stel je voor wat een heisa dat zal geven.

Datgene waar ze zo onstuimig en hartstochtelijk naar verlangd heeft, een kind van haar eigen vlees en bloed, maakt haar aan de ene kant zielsgelukkig en aan de andere kant bang. Overal om haar heen rijzen onverwacht obstakels en hindernissen op, dingen waar ze vooraf geen ogenblik aan heeft gedacht.

Natuurlijk klopt het dat ze altijd al een kind heeft gewild. Als het niet van Vincent zou komen, dan desnoods maar van een andere man. Met Joris heeft ze resoluut gekozen voor de kans op zwangerschap, dit wil zeggen voor het risico. Nu het eindelijk zover is, wordt ze plotseling overvallen door twijfels, die de hele sfeer om haar heen vertroebelen en ervoor zorgen dat ze zich dag na dag onzekerder gaat voelen.

Waarom ging ze zonder enige voorzorg te nemen met Joris naar bed? Deed ze het echt alleen maar om op die wijze zwanger te worden? Of speelden andere motieven een rol? De behoefte aan een kort avontuur, een seksfestijn met een andere kerel, weliswaar van voorbijgaande aard, maar desalniettemin? Werd ze beïnvloed door die heel aparte stemming – bloemen, kaarsen, wijn, gedempt licht, knusse gezelligheid – 's avonds in dat familiepension?

Waren er wellicht nog andersluidende overwegingen in het spel? Een banale vlucht uit de werkelijkheid, bijvoorbeeld, een leuk, erotisch intermezzo? Of een begrij-

pelijke poging om te ontsnappen aan de prangende eenzaamheid?

Onafgebroken pijnigt ze haar hersenen om de juiste
toedracht van haar handelwijze te achterhalen. Akkoord,
die gestolen nachten met Joris blijven unieke hoogte-
punten en een onvergetelijke belevenis. Ze hebben haar
leven beïnvloed en zelfs veranderd.

Het resultaat ervan heeft ze heel bewust en nuchter na-
gestreefd. Waarom wordt ze dan nu door wantrouwige
vragen bestookt? Vragen zonder bevredigende antwoorden, die haar een beetje wanhopig maken en heen en
weer slingeren tussen tegenstrijdige polen.

Aan de ene kant een opwindend, zalig gevoel van voldoening, omdat ze eindelijk in verwachting is. Daarnaast
die verlammende gewaarwording van aarzeling en angst.
Een tweestrijd, waar ze op dit ogenblik nog geen uitkomst in ziet. Doet ze er niet beter aan de twijfel af te
schudden en de zaak op zijn beloop te laten?

Voorlopig zal ze over haar zwangerschap met geen
woord reppen tegen Vincent. Ze ziet de confrontatie met
hem over deze delicate kwestie als de beklimming van
een onoverkomelijke bergtop. In haar verbeelding hoort
ze zijn sarcastische lachbui als hij het nieuws over haar
onvoorziene zwangerschap zal vernemen.

Ze ziet zijn misprijzend gezicht, met de messcherpe
snee van de mond, die zonder ophouden cynische ver-
dachtmakingen spuit. Ze voelt zijn stekelige woorden als
pijndoende naalden in haar lichaam en hoe zijn kwet-
sende op- en aanmerkingen als ijzige, harde hagelstenen
op haar neervallen. Zijn uitgestoken vinger priemt be-
schuldigend in haar richting, de gevallen vrouw, de zon-
dares, de overspelige.

Ook tegen Joris kan ze beter zwijgen, al is hij de verwekker van haar kind. Tenslotte heeft hij verder met de hele gebeurtenis geen moer meer te maken. Stel je voor dat hij nog trots is op zijn heldendaad en het overal gaat rondbazuinen?

Voor haar is het verlangen naar een kind niet alleen een rechtmatige wens, maar ook een wijze om haar leven naar eigen keuze in te richten met een open oog voor de toekomst. Dit is een bewust kiezen van de moeilijkste weg, op zichzelf een ongewone en zelfs dappere beslissing. Misschien ook een ongebruikelijke manier om het verdwijnende geluk achterna te reizen, denkt ze terloops en niet zonder een zweem van ironie.

Wat zijn sommige mannen toch griezelige slapjanussen. Caroline heeft kennelijk een of andere roddel opgevangen over het verblijf in het familiepension. Als een aangeschoten everzwijn gaat ze tot de aanval over. Joris wordt het vuur aan de schenen gelegd, de snoodaard zal zijn verdiende loon niet ontlopen. En met die rothoer van een Nathalie zal ze later nog wel afrekenen, sneert ze.

Waarschijnlijk heeft ze Joris de pieren uit de neus gepulkt. En wat doet de dappere krijger? Juist, hij buigt deemoedig het hoofd en gaat tot gehele of gedeeltelijke bekentenissen over. Wat een verrekte stommeling, nu wordt het alleen nog maar veel en veel erger voor hem en voor haar.

Waarom heeft hij zijn tong niet kapot gebeten in plaats van alles zomaar klakkeloos toe te geven? Dit is geen kwestie meer van overdreven eerlijkheid, wel van stompzinnige eerloosheid.

Zegt een eeuwenoud spreekwoord niet terecht dat een geheim uw slaaf is, zolang ge het bewaart, maar dat het uw baas wordt, zodra ge het verklapt? Waarschijnlijk heeft de filoloog die wijsheid nog nooit gehoord, denkt ze, overlopend van bitterheid.

Niet alleen Caroline is uitzinnig van woede, ook Nathalie vindt Joris een lafbek. Het gaat alleen maar om een gerucht, er is toch geen enkel bewijs voorhanden? Waarom heeft die kloot niet alles glashard ontkend?

Ach, wat heeft ze toch een uitzonderlijke vader gevonden voor haar kind. Tranen van machteloze woede rollen haar over de wangen en haar al zo wurgende onzekerheid groeit door dit voorval nog met een forse schok aan.

Ze wordt door twijfels verscheurd en wanhopig vraagt ze zich af wat haar te doen staat. Voor die furieuze Caroline is ze niet bang, dat takkewijf zal ze wel afwimpelen. Maar wat moet ze aanvangen met de foetus in haar buik? De baby gewoon laten groeien of zo vlug mogelijk naar een abortuskliniek stappen? Een dilemma, waar ze niet direct een uitkomst voor heeft.

Een bijkomend en vervelend aspect van de nieuwe situatie is, dat ze eigenlijk niemand heeft om erover te praten. Ze voelt zich alleen in een vijandige wereld.

De huisarts heeft ze in vertrouwen genomen, een integer man, dat levert geen enkel probleem op. Hoewel ze de kwestie indringend bespreken, levert het overleg geen opklaring op, want de uiteindelijk beslissing kan alleen maar bij haar zelf liggen.

Na ampele overwegingen besluit ze het kind te houden. Ten eerste heeft ze er altijd op gehoopt en naar uitgezien. Het is pure waanzin om de langverwachte zwangerschap af te breken, nu haar droom eindelijk in vervulling zal gaan. Ten tweede is de kans dat haar kind alleen maar op de natuurlijke vader zal lijken en fysiek niets van haar zou hebben, vrij beperkt. En wat dan nog? Voor haar part kunnen ze van nu af aan allemaal de pot op.

Het toeval speelt maar al te vaak een ingrijpende rol in een mensenleven. Soms betekent het zelfs een onmisbaar element in het bestaan. Door onberekenbare voorvallen corrigeert het fouten en draagt het oplossingen aan voor heel uiteenlopende problemen. Ook in het geval van Nathalie zorgt een vooraf niet voorziene of ongewilde gebeurtenis voor een beslissende ingreep.

Als ze op een avond thuis nog even naar de kelder wil om er een en ander te halen, doet ze op de trap een verkeerde stap en hobbelt ze ongelukkigerwijs over de treden naar beneden. Haar hele lijf doet pijn. De huisarts komt dadelijk en laat haar onmiddellijk overbrengen naar het ziekenhuis voor een radiologisch onderzoek.

Aan de val houdt ze een lichte hersenschudding over, wat pijnlijke kneuzingen en schaafwonden, een paar blauwe plekken en helaas ook een miskraam.

Mistroostig schudt ze het hoofd. Arme Nathalie, denkt ze meewarig en vol zelfbeklag. Ze had nu een zoon of een dochter van een jaar of tien kunnen hebben. Het zou haar leven ingrijpend veranderd hebben, maar het onvoorspelbare lot heeft die mogelijkheid in de kiem gesmoord. Nog altijd blijft dat in haar haken, als een verre, onverwerkte pijn.

Ze verlaat de plaats bij het raam en wandelt naar buiten. Onder de boom blijft ze staan. Met één hand wrijft ze traag heen en weer over de gladde stam. Ze heeft het gevoel dat ze het frisse, pasgeschoren gezicht van een man aan het strelen is.

Wiegend dwarrelt een blad naar beneden. Voor haar voeten valt het op de grond. Als een blad van deze boom valt, is het altijd geel van kleur en dit is vreemd genoeg nog glimmend groen en gezond. Het is zomaar vanzelf afgevallen, er is geen wind en er zit geen vogel in de boom.

Ze raapt het blad op en kijkt er aandachtig naar. De nerven lopen breed en waaiervormig uiteen. Als ze haar hand over de oppervlakte van het blad laat gaan, heeft ze de indruk dat ze iets leerachtigs betast.

Nu leunt ze met haar rug tegen de boom. Ook haar naar achter gestrekte hoofd raakt de stam. Het geritsel van de bladeren vult zoemend de lucht. Het lijkt op het geluid van onverstaanbare, fezelende stemmen.

Ze herinnert zich een oeroud Egyptisch gezegde: de schaduw van een man is beter dan de schaduw van een boom. Eigenlijk zou het ook anders kunnen, denkt ze, zeker in haar geval: de schaduw van een boom is beter dan de schaduw van een man.

Elf

VINCENT

Als je ook maar een beetje verstand in je corpus hebt, besef je maar al te goed dat het geen zin heeft op zoek te gaan naar het WAAROM van sommige dingen. Dat geldt zowel voor de positieve als voor de negatieve zaken die je overkomen. De gebeurtenis zelf is van belang, het waarom is bijkomstig.

Roerloos als een versteende muis zit hij voor zich uit te staren. Nu en dan heft hij zijn hoofd even omhoog, alsof hij iets ruikt en de lucht ervan opsnuift. 'Sommige mensen worden zonder aanwijsbare reden door de loop van het leven afgestraft,' mort hij hardop.

De jongste ontmoeting met Barbara zit hem lelijk dwars. Vooraf spreekt hij telefonisch duidelijk met haar af. Hij parkeert zijn auto in de straat en belt zoals altijd beleefd aan. Daarna staat hij bij de voordeur rustig te wachten op haar stem uit de parlofoon.

Ditmaal gebeurt er echter niets. Hij probeert het opnieuw, nu met twee korte belstoten vlak na elkaar. Ook die poging levert geen enkel resultaat op. Het hele gebouw baadt in een onrustwekkende, doodse stilte.

Van op het voetpad, tegen de rand van de straat, tuurt hij ingespannen naar het grote raam op de tweede etage waar ze haar flat heeft. Geen beweging, geen spoor van leven. Is ze onverwacht weggeroepen? Even vertrokken omdat ze iets vergeten had of voor een paar minuten het huis uit voor een boodschap? Misschien laat de bel het afweten en kan ze hem daardoor niet horen?

Hij haalt een geldstuk uit zijn jaszak en mikt het naar boven. Het muntje raakt de muur net onder haar raam en rolt kletterend naar de overkant van de straat. Een nieuw geldstuk, de tweede keer is de goede. Hoewel het vrij hard tegen het glas ketst, komt er van achter het raam geen enkele reactie.

Doelloos wandelt hij wat heen en weer over het trottoir. Mensen die hem bezig hebben gezien, zullen hem nu zeker in de gaten houden. De alerte burgers zijn op hun hoede. Om niet op de vallen, kan hij zich beter correct gedragen.

Als hij op het punt staat opnieuw aan te bellen, komt er een vrouw met een hond naar buiten. Door de openzwaaiende deur glipt hij naar binnen en rent hij als een gek met twee treden tegelijk de trap op. Voor de deur van haar flat blijft hij puffend en naar adem snakkend staan.

Hij drukt de belknop in. Het geluid is duidelijk tot hier hoorbaar, maar het resultaat blijft even mager. Niet thuis, denkt hij ontstemd. Het warhoofd is onze afspraak stomweg vergeten. Met zijn duim houdt hij de belknop een tijdje ingedrukt. Binnen gaat een deur open en dicht. Daarna vangt hij het nauwelijks hoorbare geluid op van naderende voetstappen. Ze opent de deur, gehuld in een melkwitte badjas, en laat hem binnen.

'Eerst sta ik daar beneden al tien minuten te bellen en te wachten,' zegt hij verstoord.

'Misschien laat de bel het weer afweten,' zegt ze kortaf, 'dat gebeurt de laatste tijd wel meer.'

'Ik heb nog een geldstukje tegen het glas van je raam gekeild.' Hij voelt zelf hoe belachelijk die opmerking klinkt. Niet de verongelijkte woorden van een gekrenkte aanbidder, maar die van een verwend jongetje.

'Niets van gehoord,' zegt ze. De nietszeggende blik van een sfinx. De onverschilligheid in hoogsteigen persoon.

'Het ketste nochtans keihard tegen het glas.' Hij slaagt er niet in zijn zure oprispingen achterwege te laten, ze overstijgen zijn gedachten en zijn wil.

'Ik was in de badkamer.' Ze trekt de koord van haar badjas los en houdt hem met haar beide handen wijdopen. Ze is helemaal naakt, een blanke godin. Een in hagelwit marmer gebeeldhouwde, stralende nimf.

Hij voelt zich ineens machteloos, in de ban van haar prachtig lichaam. Volkomen ontreddert en als een weerloze prooi aan haar overgeleverd. Zijn ogen onafgewend gevestigd op haar beeldschoon lijf. Een onverwacht tot leven gekomen surrealistische vrouwenfiguur van Paul Delvaux.

Terwijl hij haar vol verwondering blijft fixeren, knoopt ze met een elegante beweging haar badjas weer dicht. De voorstelling is voorbij. Magie ruimt de baan voor realiteit.

Ze haalt haar schouders op. Het is duidelijk dat zijn kinderachtig gezwets van daarnet haar stierlijk verveeld heeft. 'Als je naar hier bent gekomen om ruzie te maken, kun je beter direct naar huis gaan,' zegt ze hooghartig.

Hij vindt haar vandaag niet alleen onbeschrijfelijk aantrekkelijk, maar ook allesbehalve vriendelijk en tegen haar gewoonte ongastvrij. 'Is er iets, Barbara?' vraagt hij omzichtig.

'Wat zou er zijn?'

'Dat vraag ik me ook al de hele tijd af.'

Ze zit tegenover hem op de sofa, haar benen hoog opgetrokken en haar armen eromheen geklemd. Een kille, geïsoleerde houding.

'Problemen op school?' Een behoedzaam probeersel om het ijs te breken.

Ze schudt ontkennend het hoofd. Stilaan dringt het tot hem door dat ze bezig is hem op de een of andere manier te manipuleren. Wat voert ze in het schild en wat wil ze hiermee bereiken?

Hij weet dat vrouwen over een heel arsenaal van geraffineerde kunstgrepen beschikken om een man – door liefde of verliefdheid nog naïever en argelozer dan gewoonlijk – in een bepaalde richting te dwingen.

Voorlopig sluit ze zich op in een ergerlijk zwijgen. Omdat hij geen zin heeft in een nieuwe nek-aan-nekrace met haar, hult ook hij zich in een mantel van stilzwijgen. De stilte trekt een onwaarschijnlijke scheidslijn tussen twee mensen, een muur tussen twee levens.

Zijn gedachten verspringen bruusk naar vroeger jaren. Een plein in een uithoek van de stad. Een uitgestrekt grasveld met bomen, struiken en een oude kapel. De initiatie van de jonge jongens en de iele meisjes in de liefde. De seksuele spelletjes van de knapen.

Een sullig kereltje in het middelpunt van de belang-

stelling. Op verzoek en voor wat geld laat hij, in het bij-
zijn van de jongens en meisjes uit de buurt, zijn merel
vliegen. Gulp open, slipje naar beneden, piemeltje eruit.
'Daar gaat hij weer,' roept hij opgetogen. De anderen:
'Hij kan het niet. Hij heeft geen vleugels. Niet eens kleine veren.' Het knulletje haalt de schouders op. 'Morgen
opnieuw,' roept hij en loopt met zijn centen naar de
snoepwinkel. De meisjes staan met de hand voor de
mond te giechelen.

Als ze groter zijn trekken de jongens tussen licht
en donker naar het buurtcafé. Het is eigenlijk een or-
dinaire kroeg, waar de jeugd de seksuele activiteiten al
heel jong leert van dronken en geile volwassenen, die er
's avonds de beest komen uithangen.

De jongens drentelen rond de biljart of schuifelen
voor een cola naar het buffet. Dan doet iemand het licht
uit. Het moment om de dochter vast te grijpen. Een jong
meisje, even oud als zijzelf, dat gillend over de grond rolt,
stampend met haar voeten en zwaaiend met haar armen.
Met grote gretigheid betasten de knapen haar van onder
tot boven. De verkenning van een andere, vreemde wereld. Haar kleine borstjes, haar zachte buik, drie vier handen onder haar slipje. Een plukje schaamhaar.

Intussen de moeder, roepend van achter het buffet. Ze
horen alleen haar schelle stem. 'Doe het licht aan, deug-
nieten. Laat haar gerust. Doe haar geen pijn. Hou ermee
op.' Enzovoort, enzovoort...

Iemand knipt het licht weer aan. Het meisje krabbelt
recht, trekt haar rok naar beneden en knoopt haar bloes-
je dicht. Haar wangen zijn vuurrood van de spanning.
De jongens drummen met opgewonden gezichten om
haar heen.

Niemand vindt het erg. Het meisje niet, de moeder niet, de jongens nog het minst van al. Voor hen is en blijft het een onthutsende en prikkelende ervaring.

Ondanks haar jonge leeftijd is het meisje al wat verdorven. Ze praalt graag, ostentatief weet ze de aandacht te trekken van de tieners. Die vinden het spelletje met haar een intense, hevige belevenis. Zodra ze echter een lief hebben, blijven ze weg uit de kroeg.

Met de dochter uit het café loopt het later minder florissant af. Op zeker ogenblik is ze zwanger. Ze zegt niks tegen haar moeder, tot die de zwelling van haar buik in het oog krijgt.

'Nu is het te laat om nog iets te ondernemen,' roept ze kwaad, 'als ik het eerder geweten had, zou het niet zover gekomen zijn met die slet.'

De moeder, een vulgair caféwijf, brengt haar zwangere dochter naar een klooster aan de andere kant van de stad. Daar kan het onfortuinlijke meisje als hulp in de keuken werken.

Als de tijd gekomen is, zal ze er in alle stilte – met uitzondering van haar eigen gekrijs – bevallen van een kind. Ze zal haar jong nooit te zien krijgen, want de bijdehante nonnen hebben lang vooraf al een bestemming gevonden voor de boreling.

Hij ziet hoe ze met een schok ontwaakt uit haar lethargie. 'Wil je iets drinken?' vraagt ze bijna toonloos. Hij knikt alleen maar. Ze staat op en gaat naar de keuken.

In sommige relaties zijn veel woorden niet langer nodig of zelfs geheel overbodig geworden. In andere zijn ze inmiddels al verbannen of verboden.

86

Als ze terugkomt met een halfvolle fles wijn en twee glazen, zegt hij gekscherend: 'Misschien geloof je het niet, maar toevallig heb ik zin om te vrijen.'

'Ik toevallig niet,' zegt ze koel en eigenzinnig. 'Bovendien heb je thuis Nathalie nog als reddende engel.'

'Engel, engel,' roept hij bits, 'Nathalie heb ik in jaren niet meer aangeraakt. En zij mij ook niet. Tussen ons is er niks meer, zeker geen seks.'

Hoewel ze van natuur al begiftigd is met een niet onaardige wipneus, trekt ze de punt van haar neus nog een stukje hoger om er verachtelijk door te blazen. Vandaag lijkt ze gespeend van elke vorm van humor en hartelijkheid.

'Je gaat ervan uit,' zegt ze bitter, 'dat ik alles wat je uitkraamt klakkeloos als waarheid aanvaard. Daarbij vergeet je, dat je me al eerder belogen hebt.'

'De waarheid maakt het leven alleen maar saaier,' zegt hij dubbelzinnig. 'Een leugentje minder of meer maakt het een beetje attractiever.'

Ondanks zijn spot, wordt hij ineens aangetast door een onverklaarbaar onvermogen tot liefde. Onmiskenbaar een geestelijke en lichamelijk reactie op haar ijskoude houding. Voor het eerst is ze zo harteloos en gedraagt ze zich zo liefdeloos.

'Je gal uitspuwen is veel goedkoper dan hem door een chirurg laten wegnemen,' zegt hij. Op die cynische uitspraak van hem reageert ze niet eens.

Het ergste wat een verliefde man kan overkomen, is een geliefde die hem zwaar provoceert door haar weigering om seks met hem te hebben. Maar al te goed begrijpt hij dat dit een beproefde en geraffineerde strategie is om zelfs de sterkste man op de knieën te krijgen.

Misschien blijft er in die omstandigheden maar één enkele, goede keuzemogelijkheid over? Zo vlug als het maar kan de biezen pakken, heel hard weglopen en niet meer omkijken.

Misschien is de liefde voorgoed voorbij? Als dat zo is, kun je er beter niet meer te veel over piekeren, denkt hij. Dat leidt namelijk alleen maar tot verbittering en een nog groter wordend gevoel van eenzaamheid.

Zonder enige twijfel weet hij nu al, dat het avontuur met Barbara en dit onplezierige wedervaren van vandaag hem een flink aantal slapeloze nachten zullen kosten.

Tweede deel

NIEMANDSLAND

'Wat weten profeten, wat baten
een verliefde vrouw tempels en gebeden?'

PUBLIUS VERGILIUS MARO, Aeneas

Een

NATHALIE

Ze houdt van ongewone zaken, die haar enorm kunnen meeslepen en begeesteren. Van de geheimzinnige fascinatie die soms uitgaat van mensen en dingen, dieren en planten. Mystieke en spirituele dromen nemen haar dan mee naar onbekende werelden, die het toneel zijn van bovenmenselijke gebeurtenissen.

Zo ook de boom voor haar huis, met zijn uitstraling van zeldzame en eenzame wijsheid. Voor haar is hij een symbool van altijddurende aanwezigheid en van een vorm van eeuwig leven. Dat anderen het misschien dweperig zullen vinden, laat haar koud. Bovendien zijn het hun zaken niet.

Op dit punt is ze zonder meer heel eigenzinnig en zelfs dweepziek. De boom is voor haar een voorwerp van bewondering en verering. In haar ogen een vreemdsoortige geliefde, zwijgend, sterk, trouw en altijd bereikbaar.

Inmiddels ontvangt de ginkgo de vele vogels gastvrij en vreedzaam in zijn kruin. Dat geldt ook voor de zon en de regen, de wind en de storm, de hagel en de sneeuw. Nooit is er van zijn kant een reactie van verveling, verzet of protest. Tenzij de lichte trilling van de bladeren vol betekenis zou zijn, maar onbegrijpelijk voor de mensen.

Bomen beschikken stellig over een geheel eigen taal, denkt ze. Een oeroud en duidelijk gelispel, maar voor het menselijk gehoor onverstaanbaar en nog minder vertaalbaar. Onderling maken ze gebruik van gefluisterde klanken, die door buitenstaanders niet gehoord kunnen worden. Zij spreken een woordeloze taal en zenden allerlei signalen uit in onverklaarbare tekens en gebaren, die niemand ooit heeft kunnen waarnemen.

In haar ogen zijn bomen stille, raadselachtige wezens vol leven. Hun bestaan is zelfstandig en gereserveerd. Hun adem is traag en onopvallend. Hun houding van een ondefinieerbare, beschaafde hooghartigheid.

Voor heel veel dingen die in de natuur gebeuren, hebben geleerden en wetenschappers volgens haar niet eens een redelijke verklaring. Daarom zou het kunnen dat ze er liever over zwijgen, in de hoop dat de anderen dat ook zullen doen.

Door de eeuwenlange opeenvolging van sterk wisselende klimaten en seizoenen zijn de bomen allicht langzaam van ons weg geëvolueerd en daardoor ontmenselijkt. Desalniettemin leven ze nog altijd voort, onuitroeibaar en hoog verheven boven de mensen.

Van de ginkgo gaat een geheimzinnige aantrekkingskracht uit. Het ligt niet in haar vermogen die magie te beschrijven en ze probeert het ook niet, omdat zo'n poging geen zin heeft en tenslotte zelfs niets zal verduidelijken.

Ze voelt het alleen maar in haar hoofd en diep en veilig verborgen in de rest van haar lichaam. Een warm gevoel, zoals een mens krijgt bij een onverwacht compliment of bij een blijk van spontane genegenheid. Een figuurlijke aai over de wang, een bemoedigende klop op de schouder, een korte aanraking vol affectie. Kortom, een hartverwarmend gebaar vol begrip, dat niemand koud kan laten, zeker haar niet.

De boom vertedert haar, alsof hij een levend wezen is van vlees en bloed. Een mens, of beter gezegd een man, warmbloedig, teder en overlopend van begrip en verdraagzaamheid. Iemand die graag bij haar is en waarvan ze voelt dat hij veel om haar geeft.

Als anderen dit hoe dan ook ooit te weten komen, zullen ze haar sentimenteel en dweepzuchtig vinden, misschien infantiel en krankzinnig? Haar opsluiten in een huis vol gekken en haar alle dagen platspuiten? En Vincent dan, wat zal die ervan zeggen? Aan die voor de hand liggende mogelijkheid wil ze niet eens denken.

'Het is mijn leven, niet het hunne,' mompelt ze koppig, 'en in dit geval weet ik het beter dan de anderen. Ze doen maar wat ze niet laten kunnen.'

De boom is gewoon een beter soort mens, een zinnebeeld van uitgesproken, mannelijke viriliteit. Vruchtbaar vocht verspreidt zich onmerkbaar en zonder ophouden in zijn stoere lijf. In zijn binnenste gonst het van de bedrijvigheid. Dag en nacht zuigen zijn wortels de vruchtbrengende sappen uit de aarde en zijn vezels slurpen die zinnelijk op, alsof het om een appetijtelijk en romig soort sperma gaat.

Ach, misschien klinkt dat in de oren van buitenstaanders overdreven. Ze maalt er niet om. In haar ogen is de ginkgo een toonbeeld van pure natuur en onverzettelijke kracht. Tegelijkertijd ademt hij een vreemde stilte uit. Een haast bewonderenswaardige rust, die niet meer van deze tijd is.

Vertel me eens, denkt ze, wie van ons is eigenlijk in staat om het raadsel van het leven dat we leiden te doorgronden of te ontcijferen? Een heel eenvoudige vorm van begrip is zelfs onbereikbaar. Tenslotte ontkomt geen mens aan zijn lot of aan zijn noodlot.

Een gerucht doet haar opschrikken uit het diepe gepeins waarin ze verzonken is. Het geluid van een fietsbel en een roepende jongensstem, die van Jonathan.

'Ik dacht eerst dat je hier op de bank onder de boom zat te slapen, Nathalie,' zegt hij met jongensachtig enthousiasme.

'Alleen maar wat aan het suffen en dromen,' zegt ze.

De wereld is doorzond en trilt van de hitte. Jonathan komt naast haar zitten op de bank, een tevreden lach op zijn gezicht. De rivier ligt loom te glinsteren in de zon.

'Vakantie,' roept de jongen opgewekt, 'geen school meer, geen huistaken, geen examens, niks meer.' Dan, zonder enige overgang: 'Hoe is het met de kuikens?'

In het voorjaar, omstreeks Pasen, heeft hij haar onverwacht twee kuikentjes gebracht, hulpeloze beestjes, pas uit het ei. Veerloos en weerloos.

'De ene is groot,' antwoordt ze, 'maar de ander is helaas dood.'

'Zomaar dood?' vraagt hij verbaasd.

'Die tweede was kleiner en heel tenger, die heeft het niet gehaald, al had ik ze alletwee in de huiskamer in een grote doos dicht bij het vuur gezet.'

'En de eerste?'

'Die is intussen al opgegroeid tot een redelijk flinke haan. Ik heb hem zelfs een naam gegeven. Hij is niet groot, maar dapper. Daarom heet hij Napoleon.'

'Een haan?' zegt hij verrast. 'Waar is hij?'

Hij kijkt haar vragend aan. 'Ga maar,' zegt ze, 'in het schuurtje, je weet wel.'

Als hij terugkomt, zegt hij: 'Een raar beestje, spierwit, niks kleur. Ik had mij die Napoleon anders voorgesteld.'

'Hoe dan wel?' vraagt ze.

'Groter, krasser en kwieker. Het is niet veel zaaks.'

'Het is ook maar een doodgewone haan,' zegt ze lachend, 'geen haan om te kweken, te vechten of te exposeren.'

'Aan de overkant, nog een heel eind voorbij de hoeve van Domien, heeft een jonge boer zichzelf met zijn eigen geweer doodgeschoten,' zegt Jonathan.

'Wat zeg je?' vraagt ze ontdaan.

'Mijn vader zegt dat zijn vrouw is weggelopen en dat hij het daarom gedaan heeft.'

'Misschien hebben ze ook nog kleine kinderen?'

'Drie,' zegt de jongen nuchter, 'die zijn nu tegelijk hun vader en hun moeder kwijt.'

'Dat is heel erg triest,' zegt ze gemeend. Ze leeft intens mee met het droevige familiedrama.

'Ze hebben de kinderen en de beesten intussen al weggehaald.'

'Wat een verschrikkelijke tragedie, Jonathan. Hoe is het in godsnaam mogelijk?'

'De boerderij ligt daar nu helemaal alleen, leeg en verlaten,' zegt hij. 'Ver weg in die uithoek, waar bijna nooit iemand komt. En weet je, Nathalie, achter dat vergeten land daar, is er geen ander land meer.' Het klinkt ongewoon ernstig en wijs uit zijn mond.

Leven op het land is een romantisch ideaal voor de stadsbewoners, denkt ze. Soms hoort ze gruwelijke verhalen over dronkenschap, waanzin, vetes en vechtpartijen, moord en zelfdoding. Geen oudewijvenpraat maar griezelige realiteit. Nee, vergeet het liever, het landleven is lang niet alles en zeker geen aards paradijs.

Vroeger was het anders, niet beter maar in veel gevallen zelfs slechter. Toen was het leven nog een schouwtoneel, nu is het een doorlopend megatheater. Je moet niet alleen voorzichtig toekijken, maar zelf met veel lef het podium beklimmen en je rol spelen in het levensechte drama van alledag. Zelfs de onbelangrijkste figurant slaagt er op die wijze nog in de aandacht van een paar toeschouwers te trekken.

Twee

VINCENT

Een iel meisje stapt onaangekondigd zijn kantoor binnen. Ze heeft een rode blos op haar wangen en ze ziet er buitengewoon opgewekt uit. Hij herkent haar direct als de schriele jonge vrouw die allerlei secretariaatswerk verricht voor het bedrijf.

'Vandaag is het feest, meneer Vincent,' roept ze vrolijk.

'O ja?' vraagt hij verwonderd. Hij pijnigt zijn geheugen, maar vindt nergens een aanleiding voor feestelijkheden.

'Vannacht ben ik vader geworden,' zegt ze lachend, 'van een flinke zoon.'

Ze overhandigt hem een sierlijk zakje, gevuld met kleurrijke suikerbonen, plus een geboortekaartje met de naam van de nieuwe wereldburger: Thomas.

'Van harte gefeliciteerd met de geboorte en het prille vaderschap,' zegt hij goedmoedig.

Ze vertelt hem dat haar vriendin via kunstmatige inseminatie – hij meent eerst insinuatie gehoord te hebben, maar heeft zich waarschijnlijk vergist – bevrucht werd.

Vermoedelijk bedoelt ze *in vitro* of *explantatie.* Wie tilt daar zwaar aan, op zo'n overgelukkig moment in het leven van twee jonge vrouwen?

Hij herinnert zich haar vriendin, een mooi gezicht, blond en mollig, een moederlijk type. Soms staat ze aan het einde van de werkdag aan de uitgang te wachten op haar partner. Zo te zien zijn ze zeer aan elkaar gehecht, een liefdevol en aardig koppel.

In tegenstelling tot de kersverse mama is zij een lichtgebouwd, frêle en uitermate mager meisje. Een minivrouw of beter een lichtgewicht-papaatje. Het is haar aan te zien, dat ze nu zielsgelukkig is.

'Welke familienaam krijgt de kleine jongen?' vraagt hij belangstellend.

'De mijne natuurlijk,' antwoordt ze kordaat, 'wat anders?'

'Volgende week breng ik een cadeau voor hem mee, daar mag u op rekenen.'

Ze knikt hem dankbaar toe, met een rood gezicht van de ondergane emotie. Daarna loopt ze vlug naar buiten om elders het grote nieuws van de geboorte en het vaderschap te gaan verkondigen.

Wat een oneigenlijk begin van een nieuwe werkdag, denkt hij geamuseerd. Dit soort verrassende voorvallen zou wat vaker moeten voorkomen, ze behoren immers tot de uitzonderlijke vermakelijkheden van het mensdom.

Volkomen onverwacht doet het gerucht de ronde dat het ineens minder goed zou gaan met het florissante bedrijf. Niemand kan zeggen waar het slechte nieuws vandaan komt. De gissingen over de bron van oorsprong lopen uiteen van een audit department tot een accountants-kantoor, terwijl een lek bij de afdeling boekhouding evenmin is uit te sluiten.

De directie zelf doet er het zwijgen toe, wat de geheimzinnigheid nog verhoogt en de interne onzekerheid fors doet toenemen. Het doodse stilzwijgen van de onzichtbare bazen zet kwaad bloed bij het personeel, dat het uitblijven van betrouwbare informatie terecht beschouwt als een vorm van minachting.

Bij de medewerkers groeit de onrust en versombert stilaan de sfeer. Het is duidelijk dat het in dit geval niet om een verzinsel gaat. Hier en daar zit er nog een verstokte optimist en lopen er wat onverschilligen rond. Ze behoren niet direct tot de intelligentsia van de firma.

In vage termen wordt er gesproken over nakende afvloeiingen, vervroegde opruststelling, sluiting van filialen en allerhande bezuinigingen, zoals een personeelsstop en de bevriezing van de salarissen. Een beschuldigende vinger wordt uitgestoken naar sommige directeuren, verantwoordelijk voor een slecht beleid en een hoop miskleunen.

Vandaag de dag hebben dit soort onvoorziene en hoogst onplezierige gebeurtenissen zowat overal plaats. Voor de mensen die zich in het oog van de orkaan bevinden, is het een regelrecht en levensgroot drama.

Op aandringen van de vakbonden, die in dit financiële bedrijf wettelijk worden geduld maar voor de rest zo machteloos zijn als een dooie muis, wordt er door de directie uiteindelijk een vergadering georganiseerd, ten gerieve van de kaderleden en afdelingshoofden. Het kleiner grut zal pas later aan de beurt komen. Weliswaar klussen zij van de ochtend tot de avond, in tegenstelling tot de directie, die klungelt, maar verder zijn ze kennelijk van weinig of geen belang.

De algemene directeur praat in behoedzame, zalvende bewoordingen over allerlei recente veranderingen in de samenleving en over de daaruit voortvloeiende mogelijkheid van onvoorziene fusies en gedwongen overnames van zelfs gezonde en bloeiende bedrijven. Op die wijze kunnen die hun toekomst – het geld van de aandeelhouders, volgens Vincent – veilig stellen.

Daarna bestijgt de personeelsdirecteur met fikse tred het spreekgestoelte. Hij geeft met een niet aflatende bewogenheid uiting aan zijn trouw en zijn rotsvast vertrouwen in de directie en vooral aan zijn kamerbreed geloof in de goede afloop van de zaak. Niemand applaudisseert en er is evenmin boegeroep. De benepen moraal van de burger haalt eens te meer de bovenhand.

Terwijl de vergadering in een bedrukte stemming voortgang vindt en de toekomst van de meeste mensen op het spel staat, ziet Vincent door het raam hoe een man in uniform een verse voorraad cola aanvoert voor de drankautomaten in het bedrijf. Toch zal een colaatje voortaan nauwelijks toereikend zijn om de nerveuze spanning door te spoelen, denkt hij sarcastisch.

Om allerlei redenen heeft hij vandaag een cynische bui. Een ongeluk komt nooit alleen, dat is een heel waarheidsgetrouw cliché. Hij verblijdt zich niet in het ongeluk van anderen, omdat hij op dit ogenblik zelf in gevaar verkeert.

De mooie, geheime liefdesrelatie met Barbara is een aflopende zaak. Hij is nog maar net bij haar op bezoek geweest, maar haar reactie blijft koel en vitterig. Ze klaagt herhaaldelijk dat ze zich niet lekker in haar vel voelt. De eindeloze jeremiade van een jengelkont. Waarom praten zoveel gezonde vrouwen toch zo graag over allerlei ziekten, vraagt hij zich bezorgd af?

Misschien heeft ze iemand anders op het oog of inmiddels al in haar strikken gevangen? De vaste, serieuze verhouding waar ze al een hele tijd naar op zoek is. De ideale man, die voortaan zal instaan voor haar veiligheid en welzijn, die voor haar huis en haar tuintje zal zorgen en die misschien zelfs, in een verloren bui van liefdadigheid of geilheid, een kind bij haar mag verwekken.

Het is een cynische gedachte, die waarschijnlijk door haar afwijzing plotseling in hem opwelt. Hij proeft de zure, bitterscherpe smaak van alsem in zijn mond, een gewaarwording die zijn humeur grondig vergalt.

Met Nathalie is het thuis zeker niet beter en nauwelijks anders. Steeds meer gaat ze haar eigen leven leiden, opgesloten in een ontoegankelijke cocon, waar hij overigens een ongewenste vreemdeling is. Hij houdt de gek met haar dweepzucht voor de boom, die ze als een afgod lijkt te vereren.

Nathalie, als een vrouw die de draad van de oertijd weer opneemt. De maan aanbidt, een stomme boom als een godheid beschouwt, terwijl ze in staat is nog honderd andere dwaze streken uit haar hoge hoed te toveren. Het lieve leven is maar al te vaak van een verbijsterende truttigheid, denkt hij, overlopend van zelfbeklag.

Om aan deze in zijn ogen onnozele toestand te ontsnappen, gaat hij na afloop naar de taverne. Vandaag is ze bevolkt door een heel heterogeen publiek, wat hem een gevoel van vervreemding bezorgt. Er zijn wel enkele vrienden aanwezig, maar nog veel meer mensen die hij in heel zijn leven nog nooit gezien heeft en waarvan hij hoopt ze nooit meer te ontmoeten.

Neem nu die twee oude hoeren die daar een beetje lusteloos en moe bij het raam zitten te drinken. Allebei bezitten ze een aantal dingen die ze eigenlijk beter niet zouden hebben. De een heeft grote platvoeten, die ze opzij van de tafel geparkeerd heeft. De ander bezit de flinke aanzet tot een zwarte, erg mannelijk aandoende snor. Hun lippen zitten zwaar onder de rouge, zelfs hun tanden hebben een lik gehad van de lippenstift.

De afstand tussen de twee vrouwen en hemzelf is redelijk klein. Zonder al te veel moeite kan hij hun conversatie volgen. Uit het gesprek maakt hij op dat ze vandaag, na heel wat jaren, elkaar voor het eerst weer eens ontmoet hebben. Ze praten traag, met uitgerookte, hese stemmen.

'Jij zit ook al lang in het vak,' zegt de ene.

'Ja, ik doe het al heel lang,' antwoordt de tweede. 'Ik ben er nogal jong mee begonnen, lang voor de condoomtijd. Bij ons viel er niks op te zetten, het was allemaal puur natuur. Zonder pillen, spiralen of een luchtdichte verpakking eromheen.'

De eerste moet er hartelijk om lachen. 'Ik ben er al een tijd geleden mee gestopt,' zegt ze, 'ik had er mijn buik van vol. Nu en dan pik ik nog wel eens een vent mee, een oude bekende, een splinternieuwe of een leerjongen. Zomaar, voor de lol en voor het drinkgeld.'

'En om iets warms in je buik te hebben, zeker?' grinnikt de ander. Ze verslikt zich bijna in haar drankje. 'Weet je, Louise, het was een arme en harde tijd, maar daar waren ook veel mooie dagen tussen.' De sentimentaliteit is niet ver weg.

'Ik heb in mijn glorietijd emmers champagne leeggedronken.'

'Zeg maar gerust hele vaten,' valt de ander bij.

'Wie kan zoveel geld rapen door alleen maar op zijn rug te liggen, vertel me dat eens?'

'Bij mij waren ze altijd van harte welkom. Ik ontving ze met open benen.' Ze beginnen allebei schor te lachen. Daarna bestellen ze een nieuwe porto.

'Geloof me of geloof me niet, maar in mijn lange carrière heb ik kilometers vent gehad,' mummelt de tweede ernstig. Het klinkt niet eens ongeloofwaardig.

'Als je al die piemels op een rij achter elkaar zou kunnen leggen, nee, daar mag ik niet aan denken,' zegt de eerste zonder een krimp te geven, 'maar dan ben je beslist een heel eind van huis.' Ze verschuift haar grote schoenmaat, maar botst daarbij onhandig of dronken tegen een stoel die omvalt.

Vincent vangt hem handig op en zet hem weer op zijn plaats. 'Drink maar iets van mij,' zegt ze gul, 'gelijk wat, hoor, naar de prijs hoef je niet te kijken.'

Hoeren hebben veel mensenkennis, denkt hij hoofdschuddend. Het zijn vrouwen met veel levenservaring en met een heel groot en mild hart. Op deze plek en op dit uur vindt hij deze overweging van hemzelf een bijzonder diepgravende gedachte.

Wat een wonderlijke dag is het vandaag voor hem.

Ongehinderd meegesleurd worden in de dwaas rondtollende carrousel van het leven. Door niets of niemand tegen te houden of af te remmen. Zoiets als eeuwig en altijd dronkenmakende rondjes blijven draaien op een rotonde.

Drie

DOMIEN

In de ochtend rijdt hij met zijn fiets naar het huis van Nathalie. Hij volgt zijn vaste route over de kronkelende dijk langs de rivier. Op zijn bagagedrager heeft hij met touwen een grote, bruine doos vastgemaakt. Aan de zijkanten zijn er gaten aangebracht in het karton.

Voor de houten brug stapt hij af. Zoals altijd gaat hij met zijn fiets aan de hand naar de overkant. Nathalie zit op de bank onder de boom in een dikke pil te lezen. De zon verlicht het hele land, het is bladstil.

Ze kijkt op, klapt haar boek dicht en steekt haar hand naar hem op. Als hij op bezoek komt, laat ze altijd duidelijk en impulsief blijken dat ze dat fijn vindt. Een aansporing om eens vaker langs te komen. Nu is het, door het vele werk en andere beslommeringen die hij aan zijn hoofd heeft, alweer weken geleden.

Hij legt zijn hand even op haar schouder, een amicaal gebaar, en gaat naast haar zitten. Zo vroeg op de dag is het nog ongewoon rustig. Straks dagen er weer fietsers op, fanatieke wandelaars en puffende joggers die de afstand onderschat hebben.

'Wat heb je eigenlijk in die doos zitten, Domien?' vraagt ze nieuwsgierig.

'Tweemaal raden,' lacht hij.

'Binnen beweegt er iets in,' zegt ze, 'en als ik goed luister hoor ik gekrab en een heel zacht gejank. Een of ander dier dus.'

'Juist,' zegt hij, 'een lieve, kleine bastaardhond.'

Het beestje kruipt uit de doos, springt op de grond en loopt kwispelstaartend naar haar toe. Ze streelt zijn mooie, zwarte vacht van kort, krullend haar. Hij heeft pientere ogen en een vriendelijke snuit, waarmee hij haar direct vertedert.

'Waar komt hij vandaan, Domien?'

'Gevonden,' zegt hij, 'hij liep bij ons bang en uitgehongerd het erf op.'

'Zeker verdwaald?'

'Niks verdwaald. Achtergelaten. Mensen die met vakantie vertrekken en hun huisdier niet willen of kunnen meenemen. Ze laten hem hier gewoon achter of gooien hem zonder meer uit de auto en rijden weg, de onverlaten. Verlost van de lastpost. Elke zomer en elke vakantie herbegint het spel.'

'Waarom kopen ze dan een hond?'

'Vraag ik me ook af. Als je wil, mag je hem hebben. Daarvoor heb ik hem eigenlijk meegebracht. Je zit hier toch maar hele dagen alleen en dan heb je wat gezelschap.'

Heel even zit ze te aarzelen, dan zegt ze beslist: 'Ik neem hem, Domien.'

'Hij moet nog een naam hebben.'

'Ik zal hem Vasco noemen.'

'Hoe kom je daarbij?'

'Vasco da Gama. Een Portugese ontdekkingsreiziger.'

'Rare naam. Nooit van gehoord. Dit beestje heeft geen stamboom. Voor hem zijn alle bomen goed.'

Ze aait de hond over zijn kop. Langzaam dwalen haar gedachten af. Ze denkt ineens heel intens aan het tragische verhaal waar Jonathan gisteren mee uitpakte.

'Jonathan heeft me verteld over de zelfmoord van die man die bij jou in de buurt woont,' zegt ze. 'Wat een ongelooflijk droevig gezinsdrama.'

Het gezicht van Domien versombert. 'Een heel lugubere geschiedenis,' zegt hij bedachtzaam.

'Hoe is het zover kunnen komen?'

'Zijn vrouw is er ineens met een andere kerel vandoor gegaan. Naar de grote stad getrokken en daar gaan samenwonen.'

'Dat kon hij niet verwerken?'

'Natuurlijk kon hij dat niet. Haar vertrek betekende een enorme dreun tegen zijn kop. Een trap op zijn hart.'

'Ze heeft niet alleen hem, maar ook haar drie kinderen zomaar in de steek gelaten.'

'Vandaag de dag is alles mogelijk,' zegt hij nors, 'ik verbaas me over niets meer.' Hij zit stilletjes na te denken.

'Wat kun je in de grote stad aanvangen met een vreemde vent en drie kleine kinderen, die niet eens van hem zijn?' vraagt hij ineens. 'Dagenlang heb ik daarover gepiekerd, Nathalie. Ik denk dat het leven hier, in Niemandshoek, voor haar veel te saai was. Nauwelijks buren, niks ontspanning, een knap, jong wijf met haar hoofd vol dromen. Ze is op avontuur getrokken. Zoals altijd zijn de kinderen de onschuldige slachtoffers van heel die triestige historie.'

'Zo is het,' zegt ze meelevend.

'Hij heeft zich voor zijn kop geschoten. Voor hem is het amen en uit. Voor die bloedjes zal het nog een leven lang blijven duren. Die hebben voortaan een heel diep litteken in hun binnenste.'

Het is een bittere conclusie, maar hij heeft geen ongelijk. Van een man als Domien hoef je geen filosofisch getinte argumentatie te verwachten. Hij is heel direct, op de man af, doelgericht, fel, nuchter en rechtuit. Zijn redenering steunt op gezond verstand, niet op een of andere ingewikkelde theorie.

'Het is een verschrikkelijk drama,' zegt ze stil.

Hij knikt instemmend. 'Die man was gek van woede en pijn. Nog goed dat hij alleen maar zichzelf heeft doodgeschoten. Voor hetzelfde geld had hij uit wraakzucht tegenover haar ook nog zijn drie kinderen vermoord, de gek.'

Na die woorden zinkt hij onverklaarbaar weg in een ondoordringbaar web van droevige en opstandige overpeinzingen. Zo zitten ze een hele tijd zwijgend en zwaarmoedig naast elkaar op de bank onder de boom. Intussen ligt de wereld vredig te slapen in de koesterende stralen van de zon, precies alsof er helemaal niets gebeurd is.

Domien doorbreekt als eerste de stilte. 'Mijn vrouw is de jongste tijd heel nerveus,' zegt hij, 'en ze slaapt ook nog slecht. Waarschijnlijk heb jij wel een of ander middel in huis om haar te helpen?'

'Misschien heeft ze stress of is ze overspannen? Er kan ook iets mis zijn met de voeding of ze kan lijden aan onbestemde angstgevoelens, wie zal het zeggen? Je moet haar door de dokter in het dorp laten onderzoeken, dat is veiliger. Ik zal je intussen al een homeopathisch middel meegeven, dat werkzaam is bij een verstoring van het zenuwstelsel.'

'Ik wist wel dat jij haar zou kunnen helpen,' zegt hij blij. De voorbarige dankbaarheid van de eenvoudige landman, denkt ze getroffen.

'Voor je vrouw zal ik een mengeling samenstellen van gedroogde kruiden,' zegt ze. 'Kamille met sint-janskruid, plus nog wat valeriaan. Dat is goed tegen allerlei kwalen van nerveuze aard. Valeriaan wordt als geneeskrachtig kruid al eeuwenlang hoog gewaardeerd. Het groeit hier zelfs aan de boorden van de rivier. Ik gebruik de wortelstok als heilmiddel. Daar doe ik nog een snufje bij van wat andere kruiden, zoals het pepermuntblad, dat werkt ook kalmerend. Normaal zou die combinatie moeten helpen tegen de overbelasting en de verhoogde gevoeligheid bij de vrouw. Verder heb ik nog wel een hypnoticum voor haar.'

Ze merkt zijn verbaasde blik. 'Dat laatste is een slaapmiddel,' zegt ze geruststellend.

'Veel begrijp ik er niet van,' zegt hij, 'maar als het helpt ben ik al dik tevreden.'

'Van die gemengde droge kruiden neem je twee koffielepels en je kookt één liter water. Je zult thuis wel een pot hebben in Delfts, Keuls of ander aardewerk. Daar doe je die twee koffielepels gedroogde kruiden in. Daarna giet je het kokend water erbij. Die vloeistof laat je eerst een kwartier goed trekken en daarna giet je ze door de zeef. Je vrouw kan dan een keer of vier per dag een flinke kop thee drinken. De volgende dag maak je opnieuw thee. Voor de duidelijkheid zal ik het allemaal nog even voor je opschrijven, Domien.'

Als ze alles zorgvuldig voor hem klaar heeft gemaakt, zegt ze: 'Ik heb zelf ook nog een klein probleem. Enkele maanden geleden heb ik van Jonathan een kuikentje gekregen. Dat beestje is nu uitgegroeid tot een flinke jonge haan. Ik weet er verder geen raad mee, misschien kun jij hem meenemen en hem thuis een plaats geven in de kippenren?'

'Natuurlijk kan ik dat,' zegt Domien. 'Bij mij zal hij als haan een paradijselijk leven hebben tussen al die malse, moederlijke kippen.'

Hij zet de haan in de doos, steekt zijn hand op en wandelt met zijn fiets over de houten brug naar de overkant. Vandaar rijdt hij naar huis.

Wat kan een mens gelukkig zijn, als hij naar buitenuit vrij en vrank en zonder enige frustratie kan laten zien hoe hij vanbinnen is, denkt hij. Hij fietst over de dijk en met een gelukzalige glimlach op zijn gezicht kijkt hij uit over dit rijpe land, alsof hij er de enige en echte eigenaar van is.

Vier

NATHALIE

De extreme eenzaamheid van Niemandshoek heeft een dubbele, heel uiteenlopende uitwerking op Nathalies gemoed. De ene keer beleeft ze de eindeloze rust en de stilte van het weidse land als een aangename vorm van bevrijding. Ze kan intens genieten van dit verfrissend gevoel van onbeperkte vrijheid. Op weer andere dagen daarentegen ondergaat ze de traag weglekkende uren als een bijna ondraaglijke kwelling.

Aan de ene kant vormt de ongerepte, wilde natuur voor haar een praktisch onbewoond aards paradijs. Anderzijds echter bezorgt ze haar het benauwend gevoel van een gevangenis. Lust verwordt stilaan tot onlust, rust ontaardt tot onrust.

In deze verlatenheid, die tegelijkertijd verheffend en verstikkend is, evolueert ze steeds meer naar een onbegrensde liefde voor bloemen, planten en dieren. Door het gebrek aan contact schuiven mensen naar de achtergrond of ze verdwijnen voor een kortere of langere tijd uit haar gezichtsveld.

Geleidelijk breidt ze haar tuin, waar ze de geneeskrachtige planten kweekt, nog uit. Daardoor beschikt ze over een ruime kruidenapotheek.

Ze weet maar al te goed dat de geneeskrachtige werking van planten en kruiden al vele eeuwen bestaat. De recepten zijn bekend gebleven en aangevuld door mondelinge overlevering en publicaties in oude geschriften. Nathalie maakt dankbaar gebruik van die bestaande wetenschap om haar kennis bij te spijkeren. Ze vlooit de gespecialiseerde boeken uit en maakt ijverig aantekeningen. Op die wijze leert ze alle dagen nog wat bij en gaat haar deskundigheid op dit gebied met sprongen vooruit.

Het door haar geteelde en gekweekte plantenmateriaal is niet alleen goed voor de innerlijke gezondheid van de mens en soms een prima aanvulling bij de klassieke geneeskunde, het is in een aantal gevallen ook geschikt voor de huidverzorging, als parfum en zelfs voor een natuurlijke make-up.

Met de aanmaak van al die preparaten springt ze handig en heel voorzichtig om. Op dit punt neemt ze geen enkel risico, ze gaat erg zorgvuldig te werk. In geval van twijfel gaat de bereiding niet door. Ze beoefent haar hobby zo intensief mogelijk en met inzet van heel haar persoon. Op die wijze en door haar kennis van de materie wordt het een haast professionele bezigheid.

De mond-tot-mondreclame van een paar dorpelingen zorgt hier en daar voor wat belangstelling en waardering. Zelf waakt ze erover dat haar activiteiten bijzonder kleinschalig blijven. Ze beoefent haar hobby niet voor het geld, dat is in haar ogen bijzaak, maar veel meer om nu en dan een zieke of lijdende mens uit de nood te helpen. Meestal geeft ze haar kruiden om thee te zetten, haar oliën en tinctuur gratis weg. Op die wijze ontpopt ze zich een beetje tot een weldoenster.

Bij echte klachten en kwalen stuurt ze de patiënt altijd eerst naar de huisarts voor een betrouwbare diagnose. Voor haar blijft het een liefhebberij, die haar stimuleert en op een aparte manier gelukkig maakt. Dat volstaat.

Geleidelijk en onbewust ondergaat ze een gedaante-verwisseling. Zonder dat ze het zelf als zodanig aanvoelt, ontwikkelt ze zich tot een soort Keltische priesteres. Een moderne, vrouwelijke druïde, die in de ogen van buiten-staanders over meer dan normale gaven en mogelijkhe-den lijkt te beschikken.

De ginkgo is inmiddels voor haar een soort godheid geworden. Een opperwezen dat ze in stilte aanbidt en in-nig liefheeft. Tussen haar en de boom bestaan er gehei-me banden en contacten. Met elkaar wisselen ze onver-moede, raadselachtige en opwekkende krachten uit.

Bestaat dit alleen maar in haar verbeelding? Is het een onschuldige, zelfs argeloze vorm van zelfbedrog? De overspannen fantasie van een sentimentele, verliefde vrouw? Misschien is mijn verbeelding, zonder dat ik het zelf besefte, op hol geslagen, denkt ze. Ik haal werkelijk-heid en verdichting door elkaar. Weet niet eens waar het ene ophoudt en het andere een aanvang neemt.

In korte tijd is er een speciale verhouding ontstaan tus-sen haar en deze unieke boom. Een zeldzame, spirituele relatie, die zich nauwelijks laat benaderen of omschrij-ven.

Zij is verliefd op hem, praat met hem over de vreemd-ste dingen, streelt en omhelst hem. De boom reageert als een volwassen, mannelijk specimen. Hij produceert allerlei geluiden om uiting te geven aan zijn vreugde. Zijn takken trillen hevig en het geritsel van zijn bladeren vult ineens de lucht met een blij gezoem, zelfs als er geen zuchtje wind is.

Als ze haar armen liefdevol rond zijn gladde stam legt, ervaart ze een zwakke rilling, die als een plotselinge zenuwtrek door zijn lichaam glijdt. Daarna voeren ze lange, innerlijke gesprekken, en de ginkgo begrijpt haar moeiteloos zonder dat ze een woord spreekt. Dit is de bevreemdende liefde van een boom en een mens, van de man ginkgo en de vrouw Nathalie.

Met hem bereikt ze een even onbegrijpelijke als onbeschrijflijke bewustzijnstoestand. Hoogst ongewoon, ver uitstijgend boven de alledaagse werkelijkheid en zeker niet op een rationele manier te verklaren. Misschien gaat het om een tot nu toe onbekende vorm van goddelijkheid? Het uittreden uit zijn eigen lichaam en de intrede in een andere materie, die – buiten de liefde – niets menselijks meer bezit.

Hoezeer ze zichzelf ook met vragen overstelpt, een bevredigend antwoord vindt ze niet. Waar ligt de oorsprong, waar bevinden zich de diepere wortels van deze zelden of nooit voorkomende verhouding, die tegelijk iets intiems, zinnelijks en mystieks bevat? Iets dat aards is en metafysisch.

Met een lichte blos van schaamte en opwinding denkt ze terug aan gisteren, toen ze haar armen om de boom heen sloeg, haar benen spreidde, met haar onderlichaam zacht heen en weer bewegend tegen de stam schuierde en een orgasme kreeg. Een ongewone, wellustige wijze van klaarkomen, die eindigde in een meeslepend gevoel van complete ontspanning.

Ze heeft geen redelijke uitleg voor haar zonderlinge, prangende gemoedsaandoeningen. Moet ze in dit uitzonderlijke geval de oorzaak gaan zoeken bij een vergezochte, emotionele curiositeit? Bij diepere overweging echter heeft het in haar ogen meer weg van een onvatbare, magische verbinding tussen twee levende wezens, twee vereenzaamde individuen, snakkend naar liefde.

Speelt dit alles zich af in mijn geest of in mijn onderbewustzijn? vraagt ze zich af. Is het een onschadelijke, voorbijgaande illusie of een bedreigende, aanhoudende obsessie? Hoe kan ze zich nog ooit losmaken uit het ingewikkelde weefsel van droom en fantasie? Of ligt dat niet in haar bedoeling en geeft ze juist de voorkeur aan een heuse liefdesrelatie met de boom?

Ineens flitsen haar gedachten naar een gebeurtenis, die zich een goede week geleden heeft voorgedaan. Vincent komt die dag, zoals wel vaker gebeurt, heel laat thuis. Ditmaal behoorlijk bezopen, lawaaierig en praatziek. Dat zij al naar bed is, interesseert hem geen barst.

Hij overrompelt haar brutaal met barre en bizarre verhalen over twee oude hoeren in een kroeg. Uit alles blijkt dat hij een verstokte egoïst is en een gepatenteerde rotzak. De eerste jaren overlopend van passie en hartstocht, daarna niets meer. Ingeslapen als een uitgedoofde vulkaan.

Op die bewuste avond overvalt hij haar. Bespringt haar als een losgebroken, geile stier. Neemt haar met brute kracht. Ze wil niet, ze roept en tiert, verweert zich zo fel ze maar kan, probeert zich los te worstelen, maar hij neemt haar in een houdgreep. Machteloos ondergaat ze de pijnlijke vernedering. Een rauwe, niets ontziende verkrachtingsscène binnen het huwelijk. Het recht van de sterkste of het recht van de lafste? Ze voelt zich besmeurd, onteerd en radeloos. Een bittere haat vult heel haar wezen.

De sporen van een ondoorgrondelijk verdriet zijn zelfs de volgende dag nog duidelijk zichtbaar in de groeven van haar mooi gezicht. Dit vergeeft ze hem nooit. Op een dag krijgt hij hiervoor van haar de gepeperde rekening op zijn bord.

'Weliswaar heb ik een dak boven mijn hoofd maar toch voel ik me bijwijlen een dakloze,' mompelt ze. Vincent is een achterbakse kerel, een onverlaat, geestelijk mank en ontoerekenbaar. Lage driften bepalen zijn leven. Voor hem draait de hele wereld om seks, geld en macht. De laatste twee begrippen horen onafscheidelijk bij elkaar, want geld schenkt macht en macht zorgt voor geld. Zo zit hij in elkaar, niet anders.

Gelukkig resten er haar twee waardevolle motieven om zich goed te voelen. Haar grote, ondefinieerbare liefde voor de bijzondere boom en het verwerven van de simpele, wijze levenskunst, die erin bestaat thuis te kunnen blijven.

Vijf

VINCENT

Wat zijn privé-leven aangaat, vindt hij de huidige situatie allesbehalve rooskleurig. Kort geleden heeft de jarenlange relatie met Barbara een abrupt einde gekend. Ze hebben geen contact meer met elkaar, de las tussen hen is definitief gebroken.

Op haar rustige, beschaafde manier vertelt ze hem, zonder een spoor van boosheid of ruzie, dat ze de dubbelhartige toestand meer dan moe is. Het zit haar tot hier, Vincent. Ze trekt een horizontale streep onder haar neus.

Uit ondervinding weet ze maar al te goed, dat Vincent niet vies is van leugens. Niet altijd uit bestwil, maar uit gewoonte. Daardoor heeft hij iets onbetrouwbaars in zijn gedragingen, dat haar remt en afstoot.

Ach, denkt hij meewarig, misschien hoort dit er allemaal bij. Het ongenoegen, de plots opduikende verwijten. Deze afloop is niets anders dan het onvermijdelijke einde van dit soort los-vaste verhoudingen. Tenslotte is er niets onherroepelijks aan de hand.

Diep in zijn binnenste echter betreurt hij de breuk met

Barbara hartsgrondig. Niet alleen heeft ze hem een kille douche bezorgd met haar terechtwijzing, voor hem blijft het ook een moeilijk te verwerken, sentimentele neder-laag.

Barbara is een intelligente, liefhebbende jonge vrouw, die andere plannen op het oog heeft; dat is duidelijk en niet eens nieuw. Ze oogt aardig, is levendig, verdraag-zaam en breed van begrip. Voorvallen en achtergronden kan ze haarscherp analyseren, alsof ze een aangeboren psychologisch inzicht bezit. Bovendien heeft ze een spits gevoel voor humor, ragfijn, nooit boertig.

Allemaal zaken die hij altijd heel gewoon en normaal heeft gevonden en die hij daarom voortaan heel erg zal missen. Bovendien een som van niet-alledaagse kwalitei-ten, die hij al die jaren veel te weinig gewaardeerd heeft. Dat late besef maakt het verlies voor hem nog een flink stuk pijnlijker.

Hij zoekt naar argumenten om haar onmiskenbare in-vloed af te zwakken. Haar verholen behoefte aan een burgerlijke stijl, naar buitenuit een nogal stijve deftig-heid, op sommige gebied zelfs een algemene truttigheid, dat soort dingen. Niet echt zijn streven of levenswijze.

Hij heeft een uitgesproken hekel aan de bekrompen-heid van de kleine burger. Het hoogste doel van de door-snee middenstander is de status bereiken van bourgeois. Daarom is de burgerij in zijn ogen zo saai en onaantrek-kelijk.

Intussen wordt de emotionele kloof met Nathalie al-maar breder. De splitsing van hun wegen, eerst alleen maar een figuurlijke scheiding, zet zich nu voort in de werkelijkheid. Ze slapen in aparte kamers. Er is nog am-per sprake van enig persoonlijk contact.

Volgens zijn inzicht en ervaring lijdt zijn vrouw aan aanvallen van overdreven preutsheid en demonstreert ze steeds vaker een opvallend en onplezierig onvermogen tot liefde. Of de evolutie van een laaiende passie naar een ijzige frigiditeit. Begrijpe wie het kan.

Natuurlijk vormt die onnozele boom voor hun huis voor haar een uitzondering. Stel je voor, een volwassen vrouw die smoorverliefd is op een doodgewone boom. Geen bakvis in heel het land die dat in haar hoofd zou halen. Zij wel, een rijpe vrouw, redelijk evenwichtig, in het geheel niet dom, integendeel. En dan die onbegrijpelijke, ten top gedreven dwaasheid.

Welke drijfveer schuilt er achter haar daden? Een tijdelijke toestand van verdwazing, die bij anderen bespottelijk en ridicuul overkomt? De vervoering van een gestoorde geest misschien? Hij krijgt er kop noch staart aan. Hoe dan ook, als ze op die weg blijft doorgaan, stevent ze volgens hem langzaam en regelrecht af op de volstrekte waanzin.

Natuurlijk is het best mogelijk dat ze op zoek is naar liefde en dat een begrijpelijk streven naar erkenning daarbij een rol speelt. Maar de vraag is: heeft een mens daar een boom voor nodig? Een op zijn minst marginale geliefde? Voor hem blijft het in elk geval een schimmig geval van opperste verdwazing.

Hij probeert haar uit haar tent te lokken en zelfs te provoceren door allerlei kleine pesterijen. Als ze op een keer weer staat te praten met de boom, lacht hij haar vierkant uit. Tot zijn verbijstering ondergaat de boom onmiddellijk een metamorfose. Hij schudt wild met zijn takken en bladeren en produceert vreemde, indringende geluiden, bijna alsof hij haar verdediging op zich wil opnemen.

In een volgende fase waagt Vincent zich wat dichterbij. Zodra hij zich echter in de nabijheid van de boom bevindt, gebeurt er iets onverklaarbaars. Zonder enige aanwijsbare oorzaak valt er ineens een tak naar beneden, pal op zijn hoofd. Geen dorre of dode tak, maar een die helemaal groen is en nog vol leven. Hij houdt er een fikse buil aan over en een aanval van blinde woede.

'Die boom moet hier zo vlug mogelijk weg,' roept hij kwaad.

'Over mijn lijk,' zegt ze, zo doodkalm dat hij er geschrokken van opkijkt.

Het leven van alledag is letterlijk bezaaid met voetangels en klemmen. Als Vincent die nogal voor de hand liggende bedenking maakt, heeft hij het niet direct over zijn amoureuze perikelen, maar wel over het bedrijf waar hij zijn dagelijks brood verdient.

Onophoudelijk gonst het van de geruchten en de ontkenning ervan. De onrust en de spanning stijgen niet met de dag, maar met het uur. Achtereenvolgens is er sprake van een mogelijke overname door een Frans, Engels en Duits concern, die hun activiteiten uitoefenen in dezelfde branche. Ook Amerikanen en Japanners zouden een begerig oog werpen op de prooi, wat niet eens verbazing wekt.

De firma is immers niet ziek, zij zoekt alleen maar toenadering tot of aansluiting bij een grote en sterke buitenlandse partner, als toekomstig wapen in de meedogenloze concurrentiestrijd. Een aanvaardbaar streven van de bazige geldbaronnen.

Een gespreid bedje zal er wis en zeker niet klaar staan voor de werknemers. En de droom van een heerlijke, nieuwe wereld is een transparante zeepbel, die bij de minste prik openspat. Vandaar de onplezierige sfeer en een nare, naar het vriespunt dalende stemming bij de nauwelijks geïnformeerde medewerkers, die op dit commerciële strijdtoneel van geen tel zijn.

Onderhuids smeulen overal gevoelens van onvrede, die gevoed worden door achterdocht en frustraties. De verdoken machtswellust van de strebers en de nitwitten is door deze gang van zaken inmiddels zwaar ondermijnd en zelfs nutteloos geworden. Het is en blijft een zootje stommelingen met stompzinnige ideeën.

Directieleden, die door hun gebrek aan gewicht naar boven zijn gevallen, beleven moeilijke en bange tijden. Voor hen nadert langzaam maar zeker het onontkoombare uur van de waarheid. Hun heerlijke jaren vol slingers, toeters en bellen behoren binnenkort definitief tot het verleden.

Misschien doet een mens er goed aan sommige dingen zonder meer op hun beloop te laten. Inmenging heeft meestal geen nut en geen zin. Met andere woorden, je kunt alles veel beter aan het onberekenbare toeval overlaten. Heel gewoon, zonder ongeduldig te worden of opdringerig te zijn, de gebeurtenissen op je af laten komen.

In de weken na Barbara leeft hij die stelregel strikt na. Op emotioneel gebied is zijn houding afwachtend, hij lokt niets uit en neemt geen enkel initiatief.

Uitgerekend nu ontmoet hij toevallig Caroline, een vroegere collega van Nathalie. In haar voorkomen en optreden heeft ze nog altijd iets vulgairs en prikkelends, dat niet storend maar eerder intrigerend werkt. Net zoals vroeger zijn haar reacties zorgeloos en spontaan. Ze zoent hem uitbundig, veegt met een tip van haar kanten zakdoekje de achtergebleven lippenstift van zijn wangen en vraagt intussen hoe het met hem gesteld is.

'Mijn leven is een ware puinhoop,' zegt hij quasi moedeloos, maar ze heeft meteen door dat hij er niets van meent. 'Zullen we samen iets gaan drinken?' vraagt hij.

'Heel graag,' antwoordt ze, 'en vertel eens, hoe is het met Nathalie?'

'Die heeft het stoffelijke en materiële vervangen door het spirituele,' zegt hij sarcastisch.

Ze blijft even staan en kijkt hem onderzoekend aan. 'Dat snap ik niet, Vincent.'

'Ik ook niet. Daarom kunnen we er maar beter over zwijgen.'

Haar nieuwsgierigheid blijft onbevredigd, daar heeft ze het kennelijk moeilijk mee. Hij wil het goed maken. 'En hoe is het met Joris?'

De vraag valt niet in goede aarde. 'Die lullige vent,' zegt ze luid en nukkig, 'we zijn al jaren uit elkaar. Meer wil ik er niet over kwijt.'

'Een vrijgevochten vrouw, dus,' zegt hij peinzend.

Eerst Nathalie, dan Barbara en nu Caroline, denkt hij. Dat is grappig. Zo te zien heb ik een aparte band met vrouwen die in het onderwijs staan.

'Ik val altijd op de verkeerde mannen,' zegt ze stil.

'Misschien niet altijd,' antwoordt hij ernstig. Hij voelt hoe ze heftig in zijn arm knijpt.

Zes

CAROLINE

De eerste keer dat Vincent bij haar op bezoek komt, bouwt ze een feestje. Ze heeft lekker gekookt, de wijn is van uitgelezen kwaliteit, overal bloemen in de kamer en op tafel een paar brandende kaarsen. Het ziet er allemaal degelijk, verfijnd en voortreffelijk uit.

'Ik ben hier maar klein behuisd, na mijn scheiding,' zegt ze verontschuldigend.

Ze woont in een moderne studio in het centrum van de grote stad. Woonkamer annex slaapkamer, van elkaar gescheiden door een zwaar overgordijn in dieprood damast. Voorts een Amerikaanse kitchenette en een mini-badkamer. Met opgeheven arm trekt ze het gordijn op-zij. De slaapkamer is inderdaad piepklein, er is maar plaats voor één enkel meubel.

'Rond mijn bed rennen is er niet bij,' zegt ze met een nerveus lachje, 'maar het bed zelf is groot en comforta-bel en gelukkig kraken de springveren niet.'

Ze kent Vincent uiteraard goed genoeg om te weten dat hij een notoire flierefluiter is en dat hij de naam heeft een emotionele brokkenmaker te zijn. Toch heeft ze het zeldzame gevoel dat er een vonk overslaat en dat het van-af het allereerste moment tussen hen beiden heeft ge-klikt. Misschien staat er ditmaal iets wonderbaarlijks te gebeuren, denkt ze. Tegen haar gewoonte in, brengt de aanwezigheid van een man haar in verwarring.

Intussen zit Vincent rustig heen en weer te wiebelen in de leunstoel. Ogenschijnlijk wat afwezig en onver-schillig, in werkelijkheid heel oplettend als een jonge vos, die rustig zijn tijd afwacht om de veilige beslotenheid van zijn hol te verlaten.

Natuurlijk weet hij dat zij nogal bazig van aard is, dat ze een dominante persoonlijkheid bezit en dat ze in haar optreden iets dwingends heeft. Gaat het om kwaliteiten of om gebreken? Dat is de vraag. Al die bijzonderheden over haar karakter zal Nathalie vroeger, toen ze als leer-krachten nog collega's waren, thuis wel in geuren en kleuren beschreven hebben.

Overigens heeft ze nog altijd een rekening te vereffe-nen met die verraadster. Tijdens de bosklassen deelde ze lustig en liederlijk het bed met Joris. Dat zit haar niet lek-ker, al is hij dan een vent van niks, een hufter in de ware zin van het woord.

En zij dan? Niets meer dan een doordeweekse slet, met preutse allures, pure aanstellerij, en een erotiserend ge-drag dat ze schijnheilig weet te verdoezelen.

Een intieme verhouding met Vincent zou niet alleen een welkome afwisseling zijn, maar ook een revanche. Nathalie lag aan de basis van haar echtscheiding. Niet dat ze ook maar één ogenblik treurt om het zogenaamde verlies van een waardeloze kerel als Joris. Ze heeft hem zelf aan de deur gezet, zonder een zweem van zelfverwijt, ze was zijn onnozel geneuzel al lang beu.

Ook het initiatief voor de echtscheiding ging van haar uit. Via een goede advocaat voor kwade zaken, heeft ze een hoog alimentatiegeld kunnen afdwingen. Een ideale aanvulling van haar heel behoorlijk salaris als lerares. Voor haar is dit een afgehandelde kwestie, behalve dan het hoofdstuk Nathalie.

'Je zegt zo weinig, Vincent,' kirt ze. 'Ik hou van een goede babbel, maar je trekt de hele tijd geen bek open.'

'Dat komt nog,' zegt hij gelaten. 'Ik heb altijd wat tijd nodig om te acclimatiseren.'

'Ik krijg de kriebels van zwijgende mannen. Die dragen zoiets ontevredens met zich mee. Ze torsen de last van de hele wereld op hun schouders. Een onverwerkt trauma, dat ze nooit meer kwijtraken.'

'Misschien is dat bij mij ook het geval, wie weet?' zegt hij. Een slappe poging tot zelfironie.

Ze reageert gevat: 'Ik hoop dat het bij jou niet om een seksueel trauma gaat, arme drommel,' lacht ze. 'Als medelijden je uit de put zou kunnen helpen, zou ik dat hebben, maar het haalt niks uit.'

Ze is een vrijgevochten vrouw, grillig en superieur. Moeiteloos straalt ze haar schoonheid uit, van niemand afhankelijk, door geen man of kind gebonden. Caroline is geen watje, geen twijfelgeval, geen hulpeloos wezen, maar een heel zelfstandige vrouw, die verdomd goed weet wat ze wil.

Van zichzelf weet ze dat ze iets donkers over zich heeft, iets dat er voor anderen onheilspellend of een beetje unheimlich kan uitzien. Tegelijkertijd is ze uitdagend en irritant. Onophoudelijk wordt ze voortgestuwd door een ongrijpbaar, innerlijk verlangen, dat ze niet kan beschrijven en waar ze geen verklaring voor heeft.

Soms voelt ze zich een ingedommelde vulkaan, uiterlijk kalm maar vanbinnen borrelend en bruisend van een onrustig vuur. Een soort Etna of Vesuvius, die elk ogenblik kan ontwaken en losbarsten. In staat de anderen vuurspuwend omver te blazen en onder een dikke laag verzengende lava te bedelven.

Ze wil doodgraag een bepalende rol spelen in iemands leven. Waarom niet in dat van Vincent bijvoorbeeld? vraagt ze zich af. Die knappe bekkentrekker zit thuis opgescheept met het vervelendste schepsel uit heel het land. Voor altijd gevangen in een benepen keurslijf, een allesbehalve benijdenswaardige situatie.

Caroline is geen vleugellamme vogel, die alleen in een boom zit te treuren over haar eindeloze eenzaamheid. Integendeel, in haar smeult latent een niet te blussen vuur, dat dagelijks gevoed wordt door grote gevoelens als liefde en haat.

Zij beloert Vincent zoals een serpent zijn prooi. Vanuit haar ooghoeken, die voor de een mateloos genot voorspellen en voor de ander alleen maar naderend onheil.

Een glimlach vlindert over zijn gezicht. Misschien fascineert zij hem door haar opzichtige houding en haar lichtvoetig, amoreel gedrag. Ze neemt zijn hand en leidt hem traag en bijna plechtig naar de kleine kamer met het grote bed, waar ze naakt, uitgelaten als kinderen en bandeloos als gekken de liefde bedrijven.

De liefdesdaad verschaft haar een hemels plezier en een satanisch genot. Het is voor haar een sublieme vorm van overleven, mijlenver verwijderd van troosteloze dingen als vroomheid en verdriet. Boordevol overrompelende gevoelens van laaiende begeerte, ontembare passie en eindeloze tederheid. Ditmaal zonder enig spoor van raffinement of sluwe berekening.

Caroline is er de vrouw niet naar om met veel respect op te kijken naar mannen en minnaars. Haar zelfgecreëerde filosofie op dit gebied is van een onthutsende eenvoud. Daar kan ze best mee leven.

'Als A gaat, komt B in zijn plaats,' zegt ze met een montere lach op haar gezicht. 'En als die vertrekt, neem ik C, daarna eventueel D, enzovoort, enzovoort. Het alfabet is uitgebreid genoeg.'

Niet eens zo erg lang geleden zou ze met die verdorven zienswijze de heftige verontwaardiging hebben opgewekt van alle vrome lieden, overjaarse kwezels, zogenaamde weldenkenden en overtuigde hypocrieten, die welig als onkruid in het gras van de samenleving groeien en bloeien.

Met wellustige gretigheid zouden ze haar als heks op de brandstapel geworpen hebben. Of erger nog, misschien gestenigd of gevierendeeld. Vier trekpaarden waren in die tijd vlug gevonden. Inmiddels zouden wereldlijke en geestelijke notabelen, beulen en nieuwsgierige toeschouwers er niet eens aan denken een gebed te prevelen voor haar zielsrust. Door hun beschimmelde denkpatronen gaan ze er immers van uit, dat bidden in dit geval geen zier helpt. Ook zijn ze er heilig van overtuigd dat dit soort zedeloze, obscene en hoerige wijven gegarandeerd en regelrecht in het hellevuur belandt.

Soms bekruipt haar de lust om op zoek te gaan naar medestanders en gelijkgestemden om samen front te vormen tegen schijnheiligheid en burgerlijk fatsoen.

Maar even vlug weer verwerpt ze die idee, omdat ze geen zoden aan de dijk zet en omdat er tegen domheid jammer genoeg geen enkel kruid gewassen is.

Ze kruipt dicht tegen hem aan, als een luie poes met een zachte, warme vacht. 'Je lag de hele tijd heel stil te dromen,' zegt hij. Met zijn hand wrijft hij strelend heen en weer over de fijne huid van haar rug.

'Ik was inderdaad aan het dromen,' zegt ze stil, 'met mijn gedachten eindeloos ver afgedwaald.'

'Alsof ik er niet meer was,' zegt hij, 'zomaar spoorloos opgelost in de lucht of verteerd in de ruimte.'

'Gekke man,' zegt ze. Ze gaat bovenop hem liggen, zacht heen en weer schuivend, alsof ze beiden, in een oogwenk, uit slechts één warm en glanzend lichaam bestaan.

Zeven

DOMIEN

De muren van het schuurtje zijn dicht begroeid met wilde wingerd. In de beschermende luwte ervan zit ze te schrijven. Nu en dan kijkt ze even op van haar papier en tuurt ze naar de lucht of naar ginder, ver weg in de wildernis, alsof ze daar de ontbrekende woorden hoopt te vinden.

Hij ziet haar zitten, als hij uit de wei komt waar de fruitbomen staan. Met zijn twee handen torst hij een volle mand versgeplukte, geelroze pruimen. De opbrengst is dit jaar weer overvloedig en van prima kwaliteit.

'Proef eens, Nathalie,' zegt hij welgemutst, 'hoe rijp ze zijn en hoe sappig.'

'En hoe gezond,' vult ze aan, 'onbesproeid, geen spatje gif, dus puur natuur.'

Hij gluurt naar het vel papier, dat voor haar op de tafel ligt. Ze heeft in al die tijd nog maar een vijftal regels neergepend.

'Een brief aan het schrijven?' vraagt hij nieuwsgierig.

'Een gedicht,' antwoordt ze, 'ik probeer een gedicht te schrijven.'

'Een echt gedicht? Een versje, bedoel je zeker?'

'Een heel serieus gedicht, Domien, niet zomaar een versje.'

'Waarover gaat het?'

'Over de liefde,' zegt ze. 'Liefde, vriendschap en gezondheid zijn de belangrijkste zaken in het leven van de mensen. Als het erop aankomt, is al de rest tenslotte maar bijzaak.'

Hij heeft zijn mand op de grond gezet. Met de handen in de broekzakken staat hij zwijgend te luisteren, even uit het lood geslagen door haar oprecht gemeende formulering. Dan schudt hij met een snelle beweging van zijn hoofd de aarzeling van zich af.

'Dus als ik het goed begrijp, een gedicht over de liefde?' vraagt hij, zichtbaar verlegen.

'Ik schrijf een gedicht omdat ik verliefd ben, Domien. Zo gaat dat nu eenmaal bij dichters.'

Hij kijkt een beetje schichtig om zich heen, alsof hij net tegen zijn zin deelgenoot is geworden van een hoogst vertrouwelijke boodschap of van een groot geheim. Het lijkt hem op dit ogenblik ongepast om te vragen op wie ze dan wel verliefd mag zijn.

'Een gedicht is niets anders dan de hoopvolle uitdrukking of uiting van een hopeloze verliefdheid,' zegt ze.

Die goedbedoelde, verklarende uitleg is voor hem te hoog gegrepen; hij weet er niet goed raad mee. Ze merkt trouwens niets van zijn culturele verwarring.

'Zou het kunnen, Domien, dat alles wat er met ons gebeurt of wat ons overkomt, tegelijk waar en onwaar is?' vraagt ze. Een diepe frons verdeelt haar voorhoofd in twee ongelijke helften.

'Dat zijn geen vragen voor mij,' zegt hij onwennig. 'Ik ken het antwoord niet, ik ben maar een gewone boer, die niet gestudeerd heeft zoals jij.'

'Misschien overdrijf ik,' zegt ze minzaam. Ze legt haar vulpen neer en vouwt haar papier dicht. 'Kom er gerust bij zitten, Domien, het is hier aangenaam verpozen. Wil je iets drinken?'

Hij gaat zitten. Zo te zien nog altijd onder de indruk van haar onbegrijpelijke, dichterlijke ontboezemingen.

'Wat denk je van een lekker glas droge, witte wijn?' vraagt ze vrolijk. Hij maakt een hulpeloos gebaar. 'Ik ben geen wijndrinker, maar ik doe graag mee.'

Ze huppelt naar binnen en komt even later weer tevoorschijn met een fles en twee glazen. Pinot Gris, leest hij op het etiket. Terwijl ze gezellig samen zitten te drinken, denkt ze ineens aan Napoleon, de kleine, witte haan die hij een tijdje geleden heeft meegenomen. 'Hoe is het met de haan?' vraagt ze.

Domien veert op, want nu begeeft ze zich op zijn vertrouwd terrein. 'Eerst heb ik hem in de ren gezet, maar dat was een vergissing. Alle kippen zaten achter de arme stakkerd aan. Halflam gepikt, heeft hij zich door een piepkleine opening in het gaas naar buiten gewurmd. Op de vlucht voor die bende losgeslagen kippen. Twee weken heb ik hem apart gehouden en intussen flink gevoed met krachtvoer. Een paar dagen geleden heb ik hem weer bij de kippen gezet.'

'En wat is er toen gebeurd?'

'Ongelofelijk, Nathalie. Hij is nu een volwassen haan, die volop revanche neemt op die brutale kippen. Ontembaar en overmoeibaar zit hij achter ze aan. Je hoort hem 's ochtends zelden of nooit kraaien. Ik denk dat hij daar geen tijd voor heeft, want dan is hij al druk in de weer. Tussen die kippen is hij het toppunt van mannelijkheid. Weet je, Nathalie, dat hij een kip bespringt en als hij met haar klaar is, wipt hij – zonder zelfs maar even de grond te raken – op de rug van een andere kip. Hij is ijzersterk en nooit uitgeput. Enfin, die haan zorgt voor een nooit gezien spektakel in mijn kippenren.'

'Napoleon als heerser en generaal,' lacht ze, 'van een onooglijk beestje uitgegroeid tot een legendarische haan.'

'Misschien moet ik hem binnenkort wegdoen of slachten,' zegt hij met een bedrukt gezicht.

'Waarom?' vraagt ze geschrokken, 'dat zou toch zonde zijn, zo'n fel beest.'

'Om mijn kippen te sparen. De helft ervan rent al paniekerig rond met een kaalgeplukte kop. Ze raken helemaal van de leg; ik raap nog maar half zoveel eieren als voor de komst van die hanige Napoleon.'

Ze is net bezig voor de derde keer de glazen vol te schenken, als er weer een zwerm fietsers over de dijk rijdt.

'Allemaal stadsmensen,' zegt Domien verachtelijk, 'die hebben niks beters te doen.'

'Ze komen hier genieten van het buitenleven, dat is hun goed recht of niet?'

'Wat weten die in hemelsnaam af van het buitenleven?' zegt hij spottend. 'Ze kennen het verschil niet tussen een koe en een stier. Ze denken dat een groene tuinslang bijt en giftig is en dat konijnenpijpen een werkwoord is.'

Daarna wordt hij ineens heel ernstig. Zijn stemming

wisselt met vlagen. 'Weet je dat je de laatste tijd erg vermagerd bent, Nathalie? Wat scheelt er eigenlijk?'

'Ik weet het zelf ook wel,' zegt ze weifelend. 'Ik eet normaal, maar ik slaap de jongste tijd heel slecht. Allerlei rare en dwaze dromen houden me wakker. Nu en dan ontwaak ik nat bezweet uit een nachtmerrie. Zelfs mijn eigen kruidenthee biedt ditmaal geen soelaas. Echt, ik begrijp er niets van.'

'Misschien moet je de dokter in het dorp eens opzoeken?' zegt hij. 'Misschien kan die je wel helpen?'

'Tijdens de dag hou ik me onafgebroken bezig, zodat ik 's avonds afgepeigerd ben. Toch raak ik hoegenaamd niet in slaap, zelfs geen hazenslaapje.'

'Ik heb gezien dat je achteraan in de tuin een nieuw perceel hebt aangelegd,' zegt hij. 'Helemaal afgesloten met fijn kippengaas, zelfs van boven is het helemaal dichtgemaakt.'

'Tegen de vogels,' zegt ze. 'Ik probeer op die goed beschermde plek wijngaardslakken te kweken.'

'Wat kun je daar nu mee aanvangen?'

'Dat is een lekkernij, iets voor fijnproevers. Ik heb al een afnemer, die ze op zijn beurt probeert te verkopen aan bekende restaurants in de stad.'

Aan de ene kant zit ze boordevol energie en is ze ongewoon vindingrijk, denkt hij ongemakkelijk. Van duizend dingen is ze op de hoogte en ze durft alles aan. Aan de andere kant is ze graatmager en lusteloos en ziet ze er onrustbarend slecht uit.

Met enige weerzin denkt hij terug aan een toevallig gesprek, dat hij kort tevoren heeft gehad met een van die

jonge boeren. Een rekel die bekend staat om zijn ongebreidelde arrogantie, een vlerk met een grote bek. Ook
een vechtersbaas, die bij de geringste aanleiding klaar
staat om zijn mes te trekken. Heeft al een aantal keren
voor kleinere geweldmisdrijven in de gevangenis gezeten.

'En Domien, hoe gaat het met je vriendin?' roept de
blaag met een lachende smoel boven het geluid van zijn
puffende en rokende tractor uit.

'Ik weet niet over wie je het hebt,' zegt Domien kortaf.

'Over die knappe griet in het huis bij de houten brug.
Heb je haar intussen al gehad?'

'Wat wil je daarmee zeggen?' vraagt hij.

'Of je haar al geneukt hebt?' Een brutale lach onderstreept zijn woorden.

'Het is een heel serieuze vrouw,' zegt Domien rustig.

'Is ze dan geen heks?'

'Hoezo, een heks?'

'Er zijn er in het dorp die dat rondstrooien.'

'Roddel en jaloezie, niks anders.' Domien wil zijn weg
vervolgen, maar de ander houdt hem staande. 'Ik ben
nog niet uitgepraat, wacht nog even,' kraait hij uitdagend. Domien blijft onwillig staan. Het gesprek werkt
hem danig op de zenuwen.

'Van vrienden heb ik eens gehoord, dat een heks altijd
ijskoude tieten heeft en heel grote, zwarte tepels. En dat
ze ervoor zorgt dat hij niet rechtkomt als je met haar wil
vrijen.'

Domien blaast verachtelijk. Zonder omzien loopt hij
voort, terwijl de ander hem nog een paar gemene scheld-

woorden achterna stuurt. Tegen zoveel domheid en vooroordeel is hij niet opgewassen. Sommigen scheppen er openlijk plezier in anderen te beledigen en te pesten. Op een schimpscheut meer of minder komt het bij die verrekte stommelingen niet aan.

'Je zit al een tijdlang te dromen en te piekeren,' zegt ze, 'net alsof er iets ergs aan de hand is?'

'Ik was aan iets anders aan het denken,' zegt hij ontwijkend. Dan wacht hij even, een nerveus kuchje. 'Weet je dat er daarginds, aan de overkant van het water en diep in de wildernis, een monument uit de Tweede Wereldoorlog staat?'

Zijn gedachten slaan voor iets op de vlucht, dat kan hij niet langer voor haar verbergen. 'Tijdens de oorlog is er op die plek een verschrikkelijk gevecht geweest tussen een groep verzetslui en een peloton Duitse militairen. Bij het verzet zaten onderduikers, vluchtelingen en zelfs ontsnapte Russische krijgsgevangenen. Ze leefden er in kille, vochtige holen in de grond. 's Nachts gingen ze op zoek naar eten. De meeste partizanen zijn toen in dat ongelijke gevecht gesneuveld en zonder pardon afgemaakt met een nekschot.'

'Dat wist ik niet,' zegt ze ontdaan, 'wat een verschrikkelijke tragedie.'

'Ik weet het van mijn grootvader,' zegt Domien. 'Hij was een van de weinigen die het bloedbad overleefd hebben. Hij kende de streek als zijn broekzak, zo kon hij het er levend afbrengen.'

'Ik ben heel blij dat ik pas lang na die gruwelijke tijd op de wereld ben gekomen,' zegt ze, vervuld van diepe ernst.

'De namen van de doden staan in de steen gebeiteld,' vertelt hij op een monotone, haast ongeïnteresseerde manier. 'Lange rijen groen uitgeslagen letters, die allemaal namen van doden vormen. Na al die jaren zijn ze zo goed als onleesbaar. Er komt bijna nooit een mens. Eén enkele keer ligt er een bos verwelkte veldbloemen.'

Na een korte stilte zegt ze: 'Vandaag krijg ik mijn gedicht zeker niet meer af. Morgen werk ik er opnieuw aan, tenminste als ik voel dat ik wat inspiratie heb.'

Zou hij het aandurven? Hij aarzelt. Dan pakt hij uit met een directe vraag. 'Op wie ben je eigenlijk zo fel verliefd, Nathalie, dat zou ik echt wel eens willen weten? Ik zie hier nooit een andere man?'

Een vraag die haar één ogenblik van de wijs brengt. Ze zit na te denken over haar antwoord. 'Op de ginkgo,' zegt ze dan. Ze kijkt de andere kant op, alsof ze de reactie die zich aftekent op zijn verbouwereerde gezicht liever niet wil zien.

'Verliefd op een boom?' roept hij verbaasd, 'daar begrijp ik niks van. Hoe is dat nu mogelijk?'

'Toch is het zo,' zegt ze. 'Mijn liefde voor de boom is echt en allesoverheersend.'

'Sorry, Nathalie, maar daar kan ik niet goed bij,' zegt hij onhandig. 'Als het nu nog een man was geweest.'

'Hij is een man,' zegt ze kordaat.

Hij wordt getroffen door een groot gevoel van twijfel en onzekerheid. Hoe moet hij op dit verbijsterende nieuws reageren? Zweetdruppels lopen over zijn rug naar beneden en er vaart een rare, onplezierige trilling door zijn benen.

'Weet je, Domien,' zegt ze heel rustig en doodernstig,

'alleen een ware, grondeloze liefde voor een ander levend wezen, welk dan ook, kan ons genezen van de vreemde, innerlijke pijn die eenzaamheid heet.'

Acht

NATHALIE

Als de jongen van zijn fiets wipt, springt de hond luid blaffend tegen hem op. Jonathans moeder legt de laatste tientallen meters te voet af met haar fiets aan de hand. Haar gezicht is bleek, met hier en daar rode vlekken van de warmte. Ze loopt een beetje stuntelig. Een moeizame manier van zich voortbewegen, alsof haar heupen het laten afweten.

Nathalie heeft het geblaf van haar hond gehoord en kijkt geamuseerd naar het tafereel. 'Moeder en zoon,' roept ze verheugd, 'welke gunstige wind waait jullie hierheen?'

'Eerder een slechte,' zegt de vrouw mistroostig.

'Ze voelt zich de laatste tijd niet lekker,' zegt de jongen.

'Alle dagen stekende hoofdpijn,' zegt de vrouw zorgelijk. Ze wrijft met haar hand over haar voorhoofd. 'Niet uit te houden, om gek te worden.'

Samen wandelen ze naar de achterkant van het huis. Vandaar hebben ze, zittend in de rotanstoelen, een prachtig uitzicht over het weelderige, weidse land, dat baadt in de zwoele zomerzon. Op dit uur van de dag is het op deze plek verrassend koel en schaduwrijk.

'Hoofdpijn, dus,' zegt Nathalie. Een neutrale vaststelling. Ze wacht kennelijk op bijkomende informatie.

Met een hoofdknik bevestigt de moeder het probleem. 'Ik raak er niet van af,' zegt ze, met het droeve gezicht van een lijdende madonna.

'Een kwaal van deze tijd,' zegt Nathalie rustig. 'Geen echte ziekte, maar vervelend en pijnlijk. Lang voor onze tijdrekening was er geen sprake van hoofdpijn, ze bestond eenvoudig niet. Meestal is het een symptoom, dat er ergens in je lichaam iets mis is.'

'Ik heb alle bestaande pijnstillers al geprobeerd,' zegt ze met een matte stem.

'Van pijnstillers genees je niet,' zegt Nathalie, 'wandelen in de frisse lucht is beter.'

'De huisarts heeft van alles geprobeerd, zonder enig resultaat.'

'Er kunnen veel oorzaken zijn,' zegt Nathalie bedachtzaam. 'Voeding bijvoorbeeld, spijsvertering, maag, gal, lever, de stofwisseling, vermoeidheid, zorgen, stress. Hoofdpijn ontstaat volgens sommige wetenschappers door een teveel aan urinezuur. Een overdreven gebruik van vet, vlees, kaas, chocola, eieren, suikers en zoetigheden. Ook koffie, wijn en alcohol kunnen een rol spelen.'

'Misschien moet ik in de toekomst voorzichtiger omspringen met mijn voeding?' zegt de moeder. Een behoedzame bijdrage tot de oplossing van haar probleem.

'Ik geef je wat kruidenthee mee van de gedroogde bloesemknop van lavendel, gecombineerd met guldenroede, valeriaanwortel en sint-janskruid. Drie kopjes thee per dag, ik schrijf het nog allemaal voor je op.'

'Hoe kom je aan al die geneeskrachtige planten?' vraagt de moeder. 'Je bent een jonge vrouw uit de stad en je schijnt alles te weten van de natuur en van het buitenleven?'

'Het platteland, vooral deze afgelegen en geïsoleerde streek, is niet direct een land voor vrouwen,' antwoordt ze ernstig. 'Toch woon en leef ik hier graag. Ik kweek veel planten zelf. Voor de rest ga ik ze in de vroege ochtend overal zoeken in het open veld. Meestal zijn ze dan nog vochtig van de regen of de dauw, zodat ik ze dadelijk moet laten drogen. In de natuur tieren de geneeskrachtige planten welig.'

Nathalie gaat het huis binnen en komt even later weer naar buiten met twee dingen in haar hand: een donkerblauw flesje en een minuscuul zakje in zwart fluweel, bovenaan dichtgeknoopt met een dun stukje koord.

'Lavendelolie,' zegt ze. 'Als je hoofdpijn hebt, kun je je voorhoofd daarmee betten, dat verzacht de pijn.'

Dan maakt ze heel voorzichtig het zwarte zakje open. Er zit een paarsachtige steen in met ongelijk afgeronde hoeken. Ze houdt de flonkerende edelsteen tegen het licht.

'Dit is een amethist,' zegt ze, 'die niet alleen goed is tegen drankzucht en zweetvoeten, maar vooral tegen hoofdpijn en migraine. Draag hem voortaan maar altijd bij je.'

De moeder kijkt aandachtig naar Nathalie. Het is duidelijk dat ze iets kwijt wil, maar nog even aarzelt. 'Je bent de laatste tijd fel vermagerd,' zegt ze.

'Ja, dat weet ik.' Meer toelichting geeft ze niet.

'Is het niet te eenzaam in dit alleenstaande huis, zo ver van de bewoonde wereld?'

'Als het me soms te zwaar wordt, denk ik aan het chanson van Gilbert Bécaud, waarin hij zingt: *la solitude ça n'existe pas.* De eenzaamheid die niet bestaat. Dat vind ik een optimistisch geluid.'

'Maar ben je hier wel gelukkig?' dringt ze aan. Onzeker wrijft ze met een hand door de uitgedunde, grijze haren op haar kruin. Kennelijk baart de situatie haar meer dan gewone zorgen.

Nathalie denkt even na over de vraag. Het altijd aanwezige geluksgevoel is haar lang geleden al ontsnapt. 'Misschien moet een vrouw een kind hebben om echt gelukkig te zijn?' zegt ze.

De zomer beleeft zijn laatste mooie dagen. Bijna onmerkbaar sluipt de herfst het langzaam vergrijzende Niemandshoek binnen. Ver weg vertonen de ononderbroken bomenrijen, die de wildernis begrenzen, een gamma van roestige, bruingele kleuren. Zwermen trekvogels troepen samen en reppen zich als lage, zwarte wolken naar het zuiden.

Onder de boom ligt een dik, geelachtig tapijt van afgevallen bladeren. De ginkgo ziet er ineens stiller en ouder uit. Ze praat met hem en zoekt naar liefdevolle woorden om hem op te monteren. Door zijn mager geraamte van kalende takken trekt heel even een rilling. Voor haar een duidelijk bewijs dat haar hartelijke, welgekozen woorden hem niet onverschillig laten.

Ze harkt de dorre bladeren op een hoop, zodat het rond de stam weer proper is. De ginkgo reageert met een zacht geruis. Ze streelt zijn gladde stam en luistert ingespannen of ze zijn verre, nauwelijks hoorbare hartslag misschien kan waarnemen.

Daarna gaat ze het huis binnen, dromerig, afwezig. Vincent staat bij het raam. Vandaar heeft hij haar kennelijk de hele tijd begluurd. Een spottend lachje op zijn gezicht. Hij doet geen enkele moeite om zijn sarcasme te verbergen.

In de ogen van Nathalie is Vincent iemand die een sadistisch plezier beleeft aan het verkondigen van traditioneel onrechtvaardige standpunten. Hoewel hij niet vlug het achterste van zijn tong laat zien, staan zijn meningen bijna altijd haaks op de werkelijkheid geënt. Kortom, een man die zich niets gelegen laat liggen aan de anderen, wie ze ook mogen zijn. Een regelrechte dwarsligger met narcistische neigingen.

'Verliefd op een boom,' roept hij honend. 'Wat zeg ik, gek op een boom. Of alleen maar gek, stapelkrankjorum, dat is juister.'

'De liefde is...' Ze krijgt niet de kans haar zin af te maken.

'Krankzinnig.' Hij steekt zijn armen pathetisch in de lucht. 'Een vorm van complete waanzin.'

Ze voelt zich diep gekrenkt. 'Niet voor mij,' zegt ze kalm.

'Stel je voor, de eerste de beste stomme, onnozele boom.'

'Niet de eerste de beste. De ginkgo.'

'Wat gekko?'

'De ginkgo,' verbetert ze, 'zo heet hij. Een gekko is een hagedis.'

'Heeft hij ook al een naam?' Ze knikt alleen maar.

'Een stam met takken en bladeren. Het hele jaar doofstom en in de winter ook nog kaal.'

'Dat is een bewijs van mannelijke kracht en potentie,' zegt ze bits.

Haar woorden en haar zelfbewuste houding ontregelen hem. Even is hij de draad kwijt. Ze voelt haarscherp aan dat hij nu een poging onderneemt om zijn gedachten weer onder controle te krijgen.

'Een boom als lief of als minnaar,' kreunt hij hees. 'Vertel dat eens verder aan anderen.'

'Anderen hebben er niks mee te maken.'

Hij dendert onverstoord voort op hetzelfde spoor. 'Een doodgewone boom. En wat voor een boom? Misschien een gedegenereerde bastaard?'

Ze reageert opvallend rustig. 'In de liefde is de herkomst van geen belang. Een es, een olm, een eik, een beuk, of een berk, den, abeel, plataan, of vreemder nog: een ceder, olijf of vijgenboom, het maakt geen verschil uit.'

Hij begint hikkend te lachen, jennend, sarcastisch. 'Ik hoor dat je intussen al kennis gemaakt hebt met heel de familie.'

Ze komt geblutst en moreel gehavend uit deze tweestrijd. 'Zeuren en preken, daar ben je sterk in,' zegt ze met een stem vol walging en bitterheid. 'Je had priester moeten worden, dominee, pope of rabbi.' Ze heeft geen zin om nog verder in de clinch te gaan. 'Ik verdraag je gejengel niet langer.'

Ineens voelt ze zich hopeloos alleen, door iedereen in de steek gelaten, gevangen in een onontwarbaar web van intriges. Verdwaasd ronddwalend in de dichte mistbank, die een onwerkelijke wereld omhult.

Ze probeert heel diep in zichzelf te kijken, om een oplossing te vinden voor het mysterie, maar het lukt niet. Alleen de liefde voor de boom kan mij de volledige en ultieme bevrijding geven, denkt ze.

Vincent staat met zijn handen in zijn broekzakken naar haar te kijken. Een onverschillige, kille blik. De lusteloze waarneming van een toevallige voorbijganger. Een vent met een ruw, rotsachtig karakter en een armzalig gevoelsleven.

Negen

NATHALIE

De huisarts schrikt als hij haar ziet. 'Wat is er met u aan de hand?' vraagt hij met ongeveinsde verbazing. 'Het lijkt wel een geval van anorexia nervosa.'

'Dat is iets voor jonge meisjes,' zegt ze, 'zelf ben ik daar al te oud voor.'

'Oud, oud,' gromt hij ontstemd.

'Al veertig,' zegt ze.

'Niet eens halfweg. Wat moet ik dan zeggen?'

'Zowat vijftig. Ook halfweg, zeker?'

Op de personal computer raadpleegt hij inmiddels de beschikbare informatie over zijn patiënte. Hij schudt het hoofd. 'Ik begrijp er niets van,' zegt hij. 'Vertel me eens, wat is er de jongste tijd allemaal met u gebeurd?'

'Helemaal niets, dokter.'

'Dat kan niet. Zo te zien eet je zelfs niet meer?'

'Zoals altijd. Ik ben nooit een grote eter geweest.'

'Neem me niet kwalijk, maar u begint eruit te zien als een wandelend skelet.'

Hij controleert haar bloeddruk. Normaal. Idem voor de polsslag. Geen spoor van koorts. Onberispelijke long-functie. Geen suiker, geen stress.

'Het zit niet in uw lichaam,' zegt hij, omzichtig naar zijn woorden zoekend, 'maar in uw hoofd.'

Waarschijnlijk ben ik nu veel kwetsbaarder dan ik zelf vermoed of besef, denkt ze. Ze vindt dat echter geen aanleiding om zich echt druk over te maken.

Hij buigt voorover en begluurt haar over de montuur van zijn leesbril heen. 'Een algemene malaise,' zegt hij zorgelijk.

Een vlugge hoofdknik als bevestiging van zijn diagnose. 'Ik heb het gevoel dat ik op dit ogenblik geestelijk helemaal van de kaart ben, dokter.'

'Dat is het minste wat u kan zeggen.'

'Maar dat zal zeker ook weer vlug voorbijgaan, neem ik aan?' Ze begeleidt haar woorden met een hulpeloos gebaar.

'Niet te licht over oordelen,' zegt de arts. 'Ik voel me verplicht u voor een grondiger onderzoek door te verwijzen naar een specialist.'

'Wat voor een specialist?'

'Een psychotherapeut lijkt me in uw geval aangewezen.'

'Ik ben niet gek, hoor.'

'Daar gaat het niet om, dat is naast de kwestie.'

Haar gedachten zijn verward en zweverig. De volle reikwijdte van de situatie schijnt niet helemaal tot haar door te dringen. Waar eindigt de werkelijkheid en begint de fantasie?

Het huis van de psychotherapeut ligt in een afgelegen, doodse straat van de grote stad. Op de meeste plaatsen staan bijna uitgebloeide geraniums en andere bloemen op de vensterbanken. Enig teken van menselijk leven valt er nergens te bespeuren. Aan beide zijden van de straat auto's, bumper aan bumper, wachtend op de terugkeer van hun eigenaars.

'Prof.Dr.' staat er sierlijk voor zijn naam op de koperen plaat naast de voordeur. Niet de eerste de beste, die me er weer bovenop zal helpen, denkt ze met een ironisch lachje.

Ze belt aan. Het geluid verspreidt zich in de holle ingewanden van een gang of een andere lege ruimte. Uit de parlofoon spat een onvriendelijke, metalen vrouwenstem, waarschijnlijk een bandopname, met de bevelende opdracht in de wachtkamer plaats te nemen.

De voordeur zoemt open. Op de eerste zijdeur rechts in de gang staat in grote letters WACHTZAAL. Geen doordeweekse wachtkamer dus, maar een heuse zaal. Ze klopt op de deur, wacht even op een mogelijke reactie en gaat naar binnen.

Het is inderdaad een ruime, langwerpige zaal, waar verder geen mens aanwezig is. Bij de Nationale Maatschappij van de Spoorwegen zijn er heel wat stations, die zich met minder moeten tevreden stellen. Het aantal stoelen voor de patiënten wijst op de optimistische prognose van een niet te onderschatten volkstoeloop.

Zorgvuldig telt ze het aantal lege stoelen. Tweeëntwintig aan de ene kant en evenveel aan de andere. Onder het raam aan de straatkant zijn er nog zes zitplaatsen beschikbaar. Aan de overkant echter slechts vijf, omdat daar een lage, smalle deur is met het opschrift TOILET.

Een wachtkamer met vijfenvijftig stoelen, denkt ze, dat heb ik nog nooit meegemaakt. Zo te zien is die psychotherapeutische professor een bezige baas. Misschien geeft hij hier in zijn vrije tijd nog lezingen, voordrachten en cursussen?

In elk geval vreemd dat ze hier moederziel alleen zit te wachten, terwijl er zoveel ruimte beschikbaar is. Het is overigens verbazend stil in het hele huis, een beetje onrustwekkend zelfs, bijna alsof het om een onbewoond pand gaat. Hoe dan ook, van enige menselijke of dierlijke activiteit valt hier niet het minste spoor te bekennen.

Een ongezellige sfeer vol somberheid hangt als een grauw waas in deze zogenaamde wachtzaal. Het interieur ziet er pover uit. Er komen geen nieuwe patiënten bij en er lijkt ook niemand weg te gaan. Het blijft angstaanjagend stil in het hele huis.

Inmiddels zit ze al bijna twintig minuten te wachten op een teken van leven. Geheel onverwacht gaat achteraan de smalle deur met het opschrift 'Toilet' open. Een kleine, forsgebouwde man, die eruitziet als een rijksambtenaar in ruste, staat roerloos in de deuropening. Zou die man zolang op het toilet hebben gezeten? denkt ze geamuseerd. Of telt hij nu de aanwezigen? Ze is blij dat er zich eindelijk een levend wezen in het gebouw vertoont.

De man wenkt haar om dichterbij te komen. Ze staat op en wandelt aarzelend naar hem toe. Wat wil hij van haar? Hij is een doodvreemde, rare snuiter, zit weliswaar goed in het pak, maar voor de rest toch niet voor honderd procent betrouwbaar.

'Volg me maar,' zegt hij. Een doffe, sonore stem. 'Mijn kabinet bevindt zich hierachter.'

Ze lopen langs de toiletruimte. Geen traditionele entree. Hij opent een deur en ze komen in de ruimte die hij een beetje hoogdravend 'kabinet' heeft genoemd. Het is een sober gemeubeld vertrek, zonder enig ornament of luxe, eerder schraalheid. Hij gaat achter zijn schrijftafel zitten.

'Vertelt u het maar,' zegt hij. Zijn stem is monotoon en nogal slecht verstaanbaar. Waarom lopen er in dit land zoveel deskundigen rond die niet eens behoorlijk kunnen praten? vraagt ze zich af. Zich duidelijk uitdrukken, zou toch ook bij hun opleiding moeten horen?

'Ik heb een brief van de huisarts,' zegt ze.

Hij scheurt de envelop open en neemt haast ongeïnteresseerd kennis van de inhoud.

'Vreemde dromen,' zegt hij, alsof hij zich verplicht voelt haar probleem in een paar woorden samen te vatten. 'Bizarre, surreële verbeeldingen.'

Wat moet ze daarop antwoorden? Ze knikt instemmend, vol goede wil, en zegt: 'Daar komt het min of meer op neer.'

'Wanen en angsten,' zegt hij, 'schizofrenie dus.'

Daar schrikt ze niet weinig van op. Ze vraagt zich af of ze gek aan het worden is. Is het mogelijk dat ze, zonder er iets van te voelen of te weten, haar verstand verloren heeft en dat ze onmerkbaar veranderd is in een hysterische vrouw?

Wordt ze inderdaad overstelpt door barre dromen? Leeft ze onbewust in een soort schijnwereld, waar de realiteit hopeloos zoek is en alles drijft op een bizarre verbeelding? Onoplosbare, kwellende vragen.

'U bent getrouwd,' zegt hij. 'Hoe zit het met de seksualiteit in uw huwelijk?'

'Onbestaand,' antwoordt ze kortaf.

'Hebt u relaties met één of meer andere mannen?' vraagt hij. 'Of met vrouwen?' voegt hij er nog vlug aan toe.

'In het geheel niet.'

'Seksuele ondervoeding,' besluit hij hardop. Wat is die man toch direct en resoluut in zijn vaststellingen, denkt ze verbolgen. Bij hem is er schijnbaar nooit plaats voor een nuance of een veronderstelling. Het is zwart of wit, maar nooit grijs.

'Hebt u ergens een litteken?' vraagt hij.

Die vraag verrast haar. Waar wil hij heen met haar? 'Een litteken, waar is dat voor nodig?'

'Sinds kort hou ik me ook intens bezig met acupunctuur,' zegt hij. 'Waar hebt u dat litteken ergens?'

Ze moet er even over nadenken. 'Een kleintje maar,' zegt ze, 'net boven mijn rechtervoet.'

'Ik ga nu met een zilveren naald in uw linkeroor prikken.'

'Waar is dat goed voor?'

'Dat is nodig om de link te leggen met dat litteken aan uw rechtervoet, begrijpt u?'

Nee, dat doet ze niet. Dit kan eenvoudig niet, denkt ze, die man is veel gekker dan ik. Alleen is hij Professor-Dokter en ik maar een gewone huisvrouw.

Een keer of vijf prikt hij met de naald in het bovenste gedeelte van haar oorschelp, telkens vergezeld van de vraag of ze iets voelt.

'Wat moet ik voelen?'

'Pijn, natuurlijk,' zegt hij nors.

Na elk negatief antwoord, zoekt hij een andere plek om zijn naald in te planten. Hij handelt nu brutaler, draait met de naald, gaat voelbaar dieper, wrikt wat heen en weer.

'Nu doet het echt pijn,' gilt ze.

'Dan heb ik het litteken gevonden,' zegt hij voldaan.

Hij staat op, haast zich naar een kast en neemt een boek dat eruitziet als een bijbeltje in dundruk, alleen is de band in dit geval vuurrood. 'Ik zoek even de betekenis op,' zegt hij verontschuldigend, 'en hoe het nu verder moet.'

Dit kan niet, denkt ze, dit is pure waanzin. Het huis van een gekke professor, die allerlei dwaze streken uithaalt. Wordt zo'n man dan niet door een of andere autoriteit gecontroleerd of is dit land zo vrij dat het alles toelaat?

'Wat heeft een klein, oud litteken op mijn voet met mijn fysieke of psychische toestand te maken?' roept ze boos.

'Alles,' zegt hij korzelig.

Nee, deze man met zijn immense lege wachtkamer is een onvervalste schertsfiguur, ook al pronkt hij met de hooggewaardeerde academische titels van professor en dokter voor zijn naam.

Is deze onberekenbare specialist een gek of een beunhaas? vraagt ze zich af. Speelt ze hier misschien de ondankbare rol van een weerloos proefkonijn in de hoge hoed van een meester-tovenaar?

Ze neemt een kranig besluit. 'Ik ga naar huis,' zegt ze heel beslist. Ze staat op en graait haar spullen bij elkaar. 'Het is duidelijk dat u mij niet kan helpen, professor.'

'Mijn onderzoek is nog lang niet gedaan, mevrouw,' roept hij keihard. Een mengeling van boosheid, onbegrip en verontwaardiging doet zijn stem overslaan.

'U hebt het over mijn rechtervoet en mijn linkeroor,' zegt ze ferm. Alle angsten zijn van haar af gevallen. 'Daar mankeer ik niks. Misschien is er wel iets mis met mijn hoofd.'

Ze slaat de deur van het dokterskabinet achter zich dicht en gaat via de toiletruimte naar de wachtkamer. Achter haar rug hoort ze het brommerige, uitstervende protest van de psychotherapeut.

De wachtkamer is nog altijd leeg. Geen van de vijfen- vijftig stoelen is ingenomen door een wachtende patiënt. Misschien is zij vandaag de enige bezoeker in dit opmer- kelijke huis?

Als de buitendeur achter haar rug met een doffe plof in het slot valt, is het alsof ze ontwaakt uit een heel raar hazenslaapje. Een onbekend gevoel van vrijheid en geluk overvalt haar, net of ze pas ontsnapt is aan een onbe- stemd gevaar.

Ze vertelt de huisarts over haar zonderling wedervaren bij de psychotherapeut. Mompelend en stomverbaasd vraagt hij zich af hoe zoiets mogelijk is. Voor de rest doet hij er hoofdschuddend het zwijgen toe. Een collegiale houding die respect afdwingt of niets anders dan de in- standhouding van onduldbare wantoestanden? vraagt ze zich af.

Geleidelijk verliest ze haar zekerheden in deze almaar verhardende samenleving. De grote vraag is: wat is nog echt en betrouwbaar, nog werkelijk waar en reëel? Om de vijf minuten wisselt haar stemming. Ze beweegt zich haperend voort in een onwerkelijke, mysterieuze wereld, waar overal een onbeschrijflijke verwardheid schijnt te heersen.

Zijn stem dringt van ver tot haar door. Opname in een ziekenhuis. Opduikende angstgevoelens. Weer in de grote stad? Nee, een goed ziekenhuis in de kleine stad. Dichtbij. Vijf dagen in observatie. Dat is alles.

Een heldere, overwegend witte kamer met gedempt licht. Een onbekende arts zit op de rand van het bed. Hij praat met haar, maar ze kan hem niet volgen.

'Domien zorgt voor de hond en voor de wijngaard-slakken,' zegt ze.

'Stil maar,' zegt de dokter sussend, 'het komt allemaal wel in orde.'

Dan een flitsend, helder moment: 'Ik weet dat de dor-pelingen mij de heks van Niemandshoek noemen,' zegt ze. 'Als ik niet in de buurt ben tenminste, anders houden ze hun bek. Kijken, loeren en gluren. Altijd en overal sta-rende ogen. Bah, het platteland, hoe platter hoe erger.'

Ze krijgt een onbedaarlijke hoestbui. De dokter laat haar wat water drinken. Een gevoel van duizeligheid. 'Ik ben moe,' klaagt ze, 'laat me maar met rust.' Haar mager hoofd met dichtgeknepen ogen op het sneeuwwitte kus-sen. Als een geruisloze schim verlaat de arts de kamer.

De derde dag van haar verblijf in het ziekenhuis is een vrijdag. Ze hebben haar op alle mogelijke manieren on-derzocht, getest, beluisterd, betast en beklopt. Bloedon-derzoek, radiografie, echografie, scanner, alle beschikba-re medische apparatuur hebben ze op haar uitgepro-beerd.

Ze vindt dat dit volstaat. In het weekeinde zullen ze bij haar nog nauwelijks wat te onderzoeken hebben. In de vooravond doet de nachtzuster haar ronde. Ze kijkt of alles in orde is, schikt het hoofdkussen, rommelt wat met het bed en de verlichting en deelt hier en daar een pijnstiller of een slaappil uit.

'Geef er mij vandaag maar twee,' zegt ze, 'ik wil vannacht eens lekker lang slapen.'

Ze stopt de pillen in haar handtas. Even later staat ze op en kleedt ze zich zonder enige overhaasting aan. In de avond verlaat ze, tijdens het drukke bezoekuur, onopgemerkt het ziekenhuis. Als het een beetje meezit, zullen ze pas zaterdagochtend tot de vaststelling komen dat ze al weg is.

Eenmaal buiten stapt ze in een taxi en laat ze zich naar huis rijden. Het is normaal dat er daar op dit ogenblik niemand aanwezig is. Domien heeft de hond meegenomen. Vincent zal pas later komen, zoals altijd op vrijdagavond. Na zijn dagtaak en zijn drankjes met vrienden en vriendinnen in de stad.

Als de taxi wegrijdt, gaat ze naar de boom. Alle bladeren zijn nu afgevallen; daardoor ligt er opnieuw een dik, geel tapijt onder de ginkgo.

'We zijn allebei kaal en uitgekleed,' zegt ze. 'Ik heb je daarginds wel gemist, lieve man.' Ze slaat haar armen om de stam en schuiert zachtjes met haar lichaam heen en weer. De ginkgo produceert een licht, muzikaal geruis, alsof hij een nooit eerder gehoorde melodie neuriet.

In de keuken pakt ze twee flessen spuitwater uit het rek, ze haalt een pak droge koeken uit de kast en neemt wat appelen en peren uit de volle fruitschaal. Daarna gaat ze traag en tevreden de trap op naar boven.

Tien

CAROLINE

Wat hij vertelt, strookt eens te meer niet met de waarheid. In weinig kiese en allesbehalve flatterende bewoordingen maakt ze hem dat duidelijk.

'Je bent weer stevig aan het liegen, Vincent,' zegt ze terechtwijzend. Ze heeft een raspend stemgeluid, hees en gesmoord, doortrokken van sigarettenrook en sterke drank.

'Ach, ik lieg niet,' grijnst hij ontwijkend. 'Soms gebeurt het wel eens dat ik de waarheid verfraai.'

Die vlieger gaat bij haar niet op. 'Dat ik de waarheid verdraai, zul je bedoelen? Eigenlijk ben je een geboren leugenaar, Vincent. Je weet toch dat leugens korte beentjes hebben?'

Daar baalt hij van, al heeft ze natuurlijk overschot van gelijk. 'Niet de liefde, maar de leugen om bestwil is meestal de cement van een relatie,' probeert hij met een wijsgerig trekje.

Voor dat soort filosofische uitlatingen kan ze maar weinig respect opbrengen, voor andere overigens ook. Onverschillig haalt ze de schouders op. Zij is het type van de radicale vrouw. Berekenend en keihard als ze dat nodig vindt, buitenissig en dartel als dat haar beter uitkomt.

Enerzijds is ze een 'madame sans gêne', lief, vrijmoedig, dwars en uiterst zelden gekweld door enig schuldbesef. Aan de andere kant is ze een rebelse vrouw, ongeremd en ontembaar in haar seksuele lustbeleving.

In de ogen van anderen zal ze stellig de weinig benijdenswaardige reputatie genieten van een liederlijk vrouwmens, dat behoorlijk grof is in haar woordgebruik. In het algemeen ook, en zacht uitgedrukt, een tikkeltje smoezelig van expressie, zeker na enig drankverbruik.

Ze hebben een bewogen, losse relatie met korte vlagen van rust en harmonie, afgewisseld met langere periodes vol stormachtige ruzies en gekrijs. Tussen de bedrijven door wordt hun samenzijn gekruid met hevige begeerte en passie, geilheid en hartstocht. Voor verveling of doodse momenten blijft er geen tijd meer over.

Handig probeert hij haar onbegrip te omzeilen en gewoontegetrouw het zoveelste misverstand tussen hen uit de weg te ruimen. Een vermetele daad, dat beseft hij, want ze is allesbehalve argeloos.

Gespannen zoekt hij naar een mogelijkheid om haar gunstig te beïnvloeden. Een of andere verrassende kunstgreep, die haar misschien kan misleiden. Uitpakken met een origineel voorstel, om haar stemming te manipuleren.

'We gaan eerst samen iets eten,' zegt hij. 'Daarna neem ik je mee naar mijn huis in Niemandshoek. Daar ben je nog nooit geweest.'

'Niemandshoek, Niemandshoek,' mort ze gemelijk. 'Dat is het einde van de wereld. Wat valt er daar voor mij te beleven?'

'Heerlijke rust en een prachtige natuur,' zegt hij vol overtuiging. 'Ik zal je uitbundig liefkozen, Caroline. We zullen er hartstochtelijk en eindeloos vrijen, zoals we nog nooit eerder of ergens hebben gedaan.'

'Het scheelt niet veel of ik krijg nu al een orgasme van pure tevredenheid,' zegt ze sarcastisch.

Hoewel hij dit soort zwarte humor van haar gewend is, heeft hij even tijd nodig om te bekomen. Als een ge-dresseerde hond loopt hij braaf aan haar leiband, ver-strikt in zijn seksuele drift voor haar, zodat ze zich te-genover hem alles kan permitteren.

'En Nathalie dan?' vraagt ze.

'Die is er niet. Tot volgende maandag ter observatie opgenomen in het ziekenhuis.'

'Wat mankeert ze?'

'Mentaal gestoord. Depressief. Graatmager. Ze ziet eruit als een soort touw. Zo'n armdik touw, waarmee ze in de haven de aanmerende zeeschepen vastleggen aan de kade.'

Met haar hoofd maakt ze een beweging van ongeloof. 'Hoe kan dat nu?' zegt ze. 'Een meertouw?'

'Haar lichaam is het touw,' legt hij tegemoetkomend uit. 'Boven- en onderaan slingeren bosjes loshangende vezelrepen rond. Dat zijn de ledematen. Haar hoofd wordt gevormd door een dikke knoop in het touw.'

Ze maakt een afwijzend gebaar. 'Je fantaseert weer.'

'Ik zweer dat ik de waarheid zeg. Of ze ziet eruit als een touw, of ze slaagt erin zich te veranderen in een touw, één van de twee.'

In haar ogen is Vincent niets meer dan een goedgelo-vige en beklagenswaardige zielenpoot. Een volwassen man die nog rotsvast in fabeltjes gelooft. Een heimelijk spotlachje vlindert over haar gezicht.

Dat ontgaat hem niet. 'Vergeet niet dat ze stiekem bezig is met allerlei geheimzinnige zaken. Met bijzonder vreemde rituelen en bezwerende formules. Voor de mensen in het dorp is ze niet voor niets een gekkin of een heks.'

'Ze is dus zo mager, dat ze eruitziet als een dik scheepstouw?' zegt ze cynisch. 'Als ze doodgaat, laat ik als teken van rouw en deelneming mijn blonde haren zwart verven.'

Uitgelaten begint ze in haar handen te klappen, ontspannen en vrolijk als een heel jong kind. 'Wat moet dat een boeiend avontuur zijn?'

'Hoe avontuur?' vraagt hij doodernstig.

'Vrijen in een spookhuis, in de betoverde woning van een heks,' zegt ze uitdagend. 'Overigens heb ik nog een heel hard ei met haar te pellen. Destijds is ze zonder boe of ba met Joris, mijn ex, de koffer ingedoken. Dat zit me nog altijd erg dwars. Het is de hoogste tijd dat ik me eindelijk eens revancheer voor die hypocriete rotstreek van dat occultistisch wijfje van jou.'

Het is nog redelijk vroeg als ze aankomen in Niemandshoek. De herfstzon is al achter de kim weggezakt, maar haar stralen zorgen nog voor een laatste, prachtige kleuring van de horizon. Heel langzaam spreidt de invallende duisternis haar donker laken over het ingedommelde landschap.

'Dat huis van jou ligt hier haast onbereikbaar ver weg van de bewoonde wereld,' zegt ze. Als stadsmens is ze kennelijk diep onder de indruk van de leegte en de verlatenheid van dit roerloze landschap.

'De dichtstbijzijnde buren wonen op zijn minst twee kilometer hiervandaan,' zegt hij. 'Hier vlakbij ligt de houten brug over de rivier. Aan de overkant is de wildernis, waar je zonder enige moeite kunt verdwalen en verdrinken.'

'Wat een huis,' zegt ze. 'Zo'n hoog en smal gebouw. Een heel raar staaltje van architectuur.'

'En dit is de boom,' zegt hij smalend, 'onze onvervangbare en ongeëvenaarde ginkgo, waar ze zo smoorverliefd op is. Een boom als minnaar, heb je dat al ooit gehoord, Caroline?'

'Nee,' zegt ze, 'maar het lijkt me wel een origineel idee om de liefde te bedrijven met een boom. Overal even hard en stijf; een slapjanus zal hij dus wel niet zijn zeker?'

'Die stomme boom is me vijandig gezind. Een tijd geleden kreeg ik een tak op mijn hoofd, geen dorre of droge, maar een gezonde, groene tak. Op een mooie dag zaag of hak ik die verdomde verrekkeling nog wel eens om. Dan is het onverbiddelijk amen en uit met de grote liefde van Nathalie en haar zonderlinge aanbidder, le beau ginkgo.'

'Het is net of hij lawaai maakt? Een wonderlijk, inwendig geroezemoes of een ver gezoem. Hoor maar. Bijna ook of er een krassend geluid door zijn takken zindert.' Ze houdt haar hoofd wat schuin om te luisteren.

'Dat komt alleen maar door die eigenaardige, indringende sfeer die hier hangt,' zegt hij geruststellend. 'Het heeft niets te betekenen.'

Binnen in de woonkamer, in het matte licht van de schemerlampen, valt de bevreemdende beklemming weg. Ze zitten dicht en gezellig bij elkaar, pratend, drinkend en roddelend. Intussen in gedachten al heel intens en verhit bezig met de komende uren.

Het loopt naar middernacht als ze de trap op gaan. 'Vrij je nooit meer met haar?' vraagt ze, terwijl ze zwaar ademend tegen hem aanleunt.

'Nooit meer,' zegt hij. 'Vrijen en erotiek zijn de voorbije jaren in haar ogen niets meer dan een volkomen nutteloze bezigheid. Kortom, een kwestie van verspilde tijd en energie.'

'Onbegrijpelijk en niks voor mij,' giechelt ze, terwijl ze zijn hoofd dichterbij trekt en met de beweeglijke punt van haar spitse tong de holte van zijn oor beroert. Uit ervaring weet ze dat hij daar helemaal wild en heet van wordt.

Onstuimig trekt hij haar mee de slaapkamer in. Haast struikelend vallen ze neer op het bed. Allebei roezig en overstelpt door een onwezenlijke gekte. Onhoudbaar meegesleurd door een hevige passie en een stroom van tomeloze drift.

Elf

NATHALIE

Heel vroeg in de ochtend, er zit al wat licht in de lucht, verlaat ze haar schuilplaats op de zolder. Geruisloos als een poes sluipt ze de trap af. Op de overloop blijft ze eerst nog even geduldig wachten en luisteren. De deur van de slaapkamer staat wijdopen.

De kamer ziet eruit als een slagveld. Hier en daar, verspreid op de vloer, overhaast neergegooide kleren. Het dekbed is helemaal weggeschoven. Tussen de lakens de onbeweeglijke lichamen van de twee uitgeputte krijgers, verzonken in een diepe slaap.

Ik betrap de twee overspelige geliefden letterlijk en figuurlijk op heterdaad, denkt ze. Ze voelt zich verschrikkelijk vernederd en gekrenkt. Haar ergernis is groot en ongeveinsd.

Wat een eindeloos gezucht en gezwijmel gisteravond. Niet om te pruimen. Het onophoudend gegiebel van Caroline, de doortrapte rivale. Afgewisseld met het flemend gezeik van Vincent, die uitsluitend ikgerichte man en zelfingenomen charmeur.

Daarna de liefdesdaad, waar geen eind aan scheen te

komen. Wat een kermis, wat een gepomp. Geen spoor van enige intimiteit. Eerder een luidruchtig esbattement dan een normale vrij- of neukpartij. Allebei gepokt en gemazeld in bedscènes, eigenlijk zouden ze dus veel beter moeten weten en kunnen.

Ten slotte het krijsend geschreeuw van Caroline bij het klaarkomen. Op de achtergrond begeleid door het kermend gepuf van Vincent. Ongenietbaar voor een toevallige toehoorder. Onsmakelijk zelfs. Echt van het slechte te veel.

Als een slaapwandelaarster schuifelt ze, zonder enig gerucht te maken, de kamer binnen. Alleen de diepe ademhaling van de twee slapenden is hoorbaar. Elke beweging die ze maakt en elke handeling die ze nu verricht, is een daad die in trance wordt uitgevoerd.

Ze gaat muisstil naast Caroline op het bed liggen, zonder haar aan te raken. Aandachtig kijkt ze naar haar bleke gezicht, de gesloten ogen, de aankomende strepen en rimpels en de lichtjes openstaande mond met de lispelende ademhaling. Op het verkreukelde hoofdkussen de verwarde bos van de om haar hoofd slierende blonde haren.

Dan schuift ze heel langzaam en behoedzaam haar arm onder het hoofd van Caroline. Heel even maakt die een onrustige beweging en loost ze een diepe zucht. Ze kruipt wat dichterbij. Vanuit haar loden slaap misschien onbewust met de idee dat het gaat om een gebaar van de geliefde man, dromend op zoek naar een omhelzing.

Heel traag begint de arm als een stevig spannend touw de hals van Caroline te omspannen. Of gaat het nu niet langer meer om de arm, maar om Nathalie zelf, die ineens van gedaante verwisselt? Die als een vervellende slang haar huid aflegt en nu de plaats van het touw inneemt?

Een onverklaarbare metamorfose herschept Nathalies lichaam in een lenige, zacht heen en weer bewegende liaan. Haar greep wordt stilaan wurgender. De climax van een dodelijke omhelzing.

Met schokkende bewegingen ontwaakt Caroline uit haar loodzware slaap. Ze slaat onbeheerst met haar armen in het rond en begint wild met haar benen te spartelen. Uit haar keel komt een proestend geluid, dat overgaat in een onaangenaam, dof gerochel.

Net voor het fatale moment aanbreekt, lost het touw zijn moordende greep. Caroline krabbelt moeizaam en kermend overeind. Beweegt zich in een onwaarschijnlijke, vale schemertoestand. Snakkend naar adem. Een koortsig, vuurrood gezicht. Paniekerige, ongecontroleerde gebaren en een klagelijk gejammer.

Door al dat kabaal is Vincent intussen wakker geworden. Hij knipt de nachtlamp aan. Met een verdwaasd gezicht zit hij op de rand van het bed naar de panikerende vrouw te staren. Zo te zien verkeert die in zware ademnood en draait ze helemaal over haar normale toerental.

Ze maakt een hulpeloos gebaar in zijn richting, maar hij reageert niet en blijft besluiteloos zitten. Alsof hij gefascineerd is door de verlammende blik van een slang en niet meer weet wat hij moet aanvangen.

Met haar beide handen betast zij onafgebroken haar geteisterde keel, die er gezwollen uitziet en die bij nader inzien vreemde, rode striemen vertoont. Ineens ontsnapt aan haar openstaande mond een bloedstollend gehuil, een rauwe schreeuw als een onbekend, dierlijk oergeluid.

Daardoor ontwaakt Vincent uit zijn verdoving. De onverklaarbare toestand maakt hem hooglijk ongerust. 'Wat is er, Caroline?' roept hij. Een bangelijk klinkend stemgeluid. 'Wat mankeer je zo ineens?'

Ze probeert iets te zeggen, doet verwoede pogingen, maar het lukt haar niet. Hij gaat naar de badkamer om voor haar wat water te halen. Ze slokt het glas gulzig leeg.

'Je wilt me vermoorden, smeerlap,' krijst ze ineens. Haar woede en opwinding kennen geen grenzen. Wat hij ook zegt en doet, ze is niet te kalmeren. Ze blijft hevig en onbedaarlijk huilen, de hele tijd verwoed met haar armen zwaaiend. Een eindeloos geweeklaag vol hoge, uitslaande klanken, zoals oosterse vrouwen treuren bij het verlies van hun man.

Hij probeert haar te troosten. Misschien gaat het alleen maar om een griezelige nachtmerrie? Wil zijn arm beschermend om haar schouder leggen. Geheel onverwacht haalt ze met haar vuist zwaar naar hem uit. Hij probeert de verraderlijke opstoot nog te ontwijken, maar incasseert toch een kwade slag op zijn rechteroog.

'Wat vang je nu allemaal aan?' roept hij kwaad. 'Ben je gek geworden?'

'Moordenaar, moordenaar,' schreeuwt ze schor. Het geluid van een mager varken dat op het punt staat geslacht te worden. Daarna begint ze weer luid en onbeheerst te steunen en te janken.

Half vallend kruipt ze uit het bed. Rent de kamer uit. Luid gillend, met hoge, schrille uithalen. De trap af. Hij hoort hoe ze aan de voordeur morrelt. Dan loopt ze naar buiten.

Geschrokken staat hij op. Verslagen en volkomen platgewalst door de zonderlinge gebeurtenissen. Doet zijn broek aan, grijpt een trui. Daarna loopt hij waggelend en niet-begrijpend naar beneden, zich verwonderd afvragend wat er zo plotseling met haar aan de hand mag zijn?

Ongezien is Nathalie uit de slaapkamer verdwenen. Achter haar rug is de hel losgebarsten. Ineens is de betovering verbroken. Magie maakt plaats voor realiteit.

Door het raam probeert ze het verloop van het drama te volgen. Caroline loopt naar buiten. Een halfnaakte, schimmige figuur. Op blote voeten dolend door de uitfadende duisternis. Onzeker dwalend over de weg naar de rivier. Haar roze nachtpon als een fladderende, losgewaaide vlag rond haar lichaam zwierend.

Hardop tierend en druk gesticulerend rent ze over de dijk. Vergeet niet, Caroline, dat roepen en tieren je hier geen zier kunnen helpen. Er is geen mens die je kan horen. De dichtstbijzijnde buren wonen op zijn minst twee kilometer hiervandaan. Een cynische gedachte van haar, vindt ze zelf.

Caroline als roepende in de woestijn. Een struikelende, spookachtige gedaante, radeloos over de dijk van Niemandsland strompelend. Op weg naar nergens, naar niets en niemand. Een uitermate kil en huiveringwekkend toneel, dat is zowat het allerminste wat er over deze dramatische toestand te zeggen valt.

Voor de rest van haar leven zal Caroline door deze gebeurtenissen onherstelbaar getroubleerd blijven. Voortaan zal ze gefrustreerd en met een onuitwisbaar trauma door het leven gaan. Nooit of nooit zal ze nog één nacht rustig kunnen slapen aan de zijde van een man.

Ze ziet hoe Vincent nu moedeloos naar buiten sloft. Aarzelend gaat hij naar de brug. Aan zijn houding te zien, is hij door het voorval flink aangeslagen. Wanhopig speurt hij rond. Doodsbang om iets onherstelbaars te ontdekken.

Dan wandelt hij rusteloos over de dijk. Blijft staan. Kijkt in het snelstromende water. Weet echt niet meer wat hij in deze precaire situatie moet aanvangen. Een gevelde krijger, een ontredderd man, maar vast en zeker geen onschuldig slachtoffer.

Ze vindt het ogenblik gekomen om haar schuilplaats op de zolder weer op te zoeken. Hij hoeft niet te weten dat ze al thuis is en nog minder welke hoofdrol ze in deze tragedie speelt.

Geterroriseerd door de pas voorbije gebeurtenissen, kan hij zich inmiddels blijven kwellen met wel honderd pijnlijke vragen over deze mysterieuze, verontrustende zaak. Zonder daarom direct een passende sleutel te vinden om het onverklaarbare raadsel op te lossen of zelfs maar te begrijpen.

In haar dromen vergelijkt ze zich soms met de Griekse Mèdeia. 'Ik ben weliswaar geen dochter van een koning,' grapt ze, 'maar toch bestaat er tussen ons een zekere, niet te ontkennen of mis te verstane verwantschap.'

Net als zijzelf is ook Mèdeia een tovenares. Meestal wordt ze voorgesteld met een bos bladeren van de laurier of een tak van de jeneverbes. Toevallig twee planten die ook bij haar zeer in de gunst staan.

Bovendien staat ze op haast alle afbeeldingen met een mysterieus toverkistje in haar handen en vaak ook met een zwaard. Mèdeia is zodoende tegelijkertijd een aantrekkelijke heks en een boze engel van de wraak.

Tijdens de tocht van de Argonauten helpt ze de held Iasoon het Gulden Vlies veroveren. Daarna laat ze zijn oom, Pelias, op gruwelijke wijze vermoorden, omdat die halsstarrig blijft weigeren de toegezegde beloning uit te keren.

Samen met Iasoon vlucht ze naar Korintië. Daar leert haar held echter een mooie prinses kennen, Kreousa, op wie hij smoorverliefd wordt. Voor haar verstoot hij zijn geliefde en toegewijde Mèdeia. Hij zal de gemaal worden van Kreousa.

Mèdeia neemt hiervoor op een verschrikkelijke wijze wraak op Iasoon en zijn prinses. Ze doodt zijn kind en schenkt zijn bruid een vergiftigd kleed, dat haar helemaal verteert.

Eerst vlucht ze naar Athene. Later nog verder naar Perzië. De bewoners van het gebied waar ze haar toevlucht zoekt, heten van dan af de Meden, naar Mèdeia.

Het is natuurlijk juist dat ik wraak neem, denkt Nathalie eigengereid. Wat echter niet betekent dat ook ik een wrekende engel ben, die aan de lopende band mensen uit de weg ruimt.

Strikt genomen bestaan er genoeg plausibele redenen om de twee minnaars in mijn echtelijk bed te doden. Daar voel ik echter niets voor. Ik ga ervan uit dat onrecht zichzelf tenslotte wel straft.

Allerlei overwegingen spoken door haar hoofd. Vannacht heb ik de kans gehad om ze alletwee, zonder veel omhaal, van kant te maken. Waarom zou ik? Ze zijn nu eigenlijk al genoeg gestraft voor hun wandaden.

Hun dood zou niets oplossen. Bovendien bestaan er veel subliemere mogelijkheden, waarbij ik mijn handen niet eens hoef te gebruiken en nog minder vuil te maken.

De hele ochtend blijft Vincent ongedurig en hypernerveus bezig. Hij verlaat het huis om opnieuw langs de oevers van de rivier te dwalen, wanhopig op zoek naar een spoor van zijn vermiste vriendin. Verscholen achter het dakraam kan Nathalie zonder moeite en heel nauwkeurig zijn hopeloze zoektocht volgen.

Als hij weer thuiskomt, hoort ze hoe hij de hele tijd driftig belt met zijn mobiele telefoon. Kennelijk wil hij haar thuis bereiken, om eindelijk verlost te zijn van de knagende onrust. Van de andere kant komt er geen antwoord, waardoor zijn verwarring almaar groter wordt.

Even later hoort ze hem druk in de weer, bezig de slaapkamer op te ruimen. Dat had hij beter al eerder kunnen doen, denkt ze. Alle sporen van haar aanwezigheid uitwissen. Doen alsof ze hier niet eens geweest is.

Een tijd later hoort ze hem weer naar buiten gaan. Zou hij het aandurven met de auto naar de stad te rijden om ter plekke uit te zoeken of ze misschien thuis is? Dat zou een heel domme daad zijn, met onvoorziene en verstrekkende gevolgen.

Hij heeft haar gammele fiets uit het schuurtje gehaald en rijdt nu over de dijk. Tot alles en nog wat bereid om zijn verdwenen vriendin terug te vinden. Een knullig schouwspel. Zijn angst en zijn rusteloosheid kennen geen grenzen. Gelukkig voor hem valt er hier in deze tijd van het jaar uiterst zelden een wandelaar, fietser of visser te bekennen.

Als ze in de slaapkamer komt, stelt ze vast dat hij inderdaad alles heel zorgvuldig heeft opgeruimd. De spullen van Caroline, haar kleren, schoenen, handtas en toiletzak, zitten opgeborgen in een plastic zak, die hij in de kast achter een stapel kleren heeft weggestopt.

Als hij moe en moedeloos terugkomt van zijn vruchteloze fietstocht langs de rivier, zit ze hem op te wachten in de woonkamer. Hij is stomverbaasd dat ze thuis is. Voelt zich in de gegeven omstandigheden vast en zeker heel ongemakkelijk door haar onverwachte thuiskomst.

'Hoe ben je naar hier gekomen?' vraagt hij kregelig.

'Gewoon, met de bus,' zegt ze kalm. 'Het laatste eind heb ik gelopen. Een wandeling.'

'Je zou toch tot maandag in het ziekenhuis blijven?' Haar aanwezigheid zint hem niet. Ze komt hoogst ongelegen.

'Ik mocht onverwacht vandaag al naar huis,' zegt ze. 'In het weekeinde doen ze in een ziekenhuis alleen maar het hoognodige. Vandaar.'

Twaalf

VINCENT

'Wat is er met je oog?' vraagt ze quasi argeloos. 'Het is helemaal paars en gezwollen.'

'Tegen de openstaande deur van een kast gelopen,' zegt hij nors.

De hele tijd al zit hij haar met een onvriendelijke blik te begluren. Het wantrouwen staat op zijn gezicht te lezen. Zou ze soms iets vermoeden? Kan ze heimelijk wat te maken hebben met de verdwijning van Caroline?

Haar zwijgende houding stoort hem meer dan hij wil toegeven. Door haar niet te verklaren raadselachtigheid wordt zijn bestaan voelbaar en volkomen ontregeld.

Gaandeweg wordt het hem duidelijk dat Caroline spoorloos is en zoeken daardoor haast zinloos. Is ze ergens ondergedoken? Bij vrienden? In een hotel? Toch bij haar thuis? Is ze onderweg gevallen? Door de duisternis misleid in de rivier terechtgekomen? Door een of andere onverlaat aangerand of meegenomen?

Hij wijst het allemaal af. Al die verschillende mogelijkheden. Ook de gevolgen ervan. Elke vorm van schuldgevoel. De kansen op ontdekking. Zijn persoonlijk aandeel in een eventuele, dramatische afloop.

Als hij de toestand nauwlettend overschouwt, komt er bij hem steeds opnieuw een bevreemdend gevoel naar boven drijven. Een vaststelling, die hem geen ogenblik meer loslaat. Hij heeft de onmiskenbare, niet te verklaren indruk dat de gebeurtenissen allemaal heel zorgvuldig door een onzichtbare hand georkestreerd zijn.

Bij het begin van de nacht, zij is dan al naar haar kamer, gaat hij naar het schuurtje. Hij rommelt er wat rond om een spade te zoeken. In een uithoek van de tuin, waar er niets mis kan gaan want ver genoeg van haar geneeskrachtige planten en vette slakken vandaan, begint hij een diepe kuil te graven. Ongewoon zware arbeid voor de handen en de rug van een notabel directielid.

Het is aardedonker. Nergens valt er een teken van leven of een lichtschijn te bespeuren. Het land is uitgestorven en doods. Hij gooit de plastic zak met de spullen van Caroline in de kuil en maakt de put weer dicht. Daarna harkt hij er een laag dode bladeren overheen, zodat er nauwelijks een spoor zal zichtbaar blijven van zijn nachtelijk graafwerk.

In gedachten maakt hij voor zichzelf een inventaris op van de voorbije achtenveertig uren.

VRIJDAG: de afspraak met Caroline na het werk. Het etentje in het Italiaanse restaurant. Daarna de trip naar Niemandshoek. Leuke avond in het afgelegen huis. Later de uitbundige, beklijvende vrijpartij. Het griezelige ontwaken. De rampzalige vlucht van Caroline.

ZATERDAG: de rusteloze zoektocht naar de verdwenen vrouw. Het vruchteloos getelefoneer naar haar huis. Opnieuw zoeken bij de rivier. Het opruimen van de slaapkamer. Het wegstoppen van de kleren en spullen van Caroline. Ten slotte de onvoorziene thuiskomst van Nathalie.

ZONDAG: vandaag dus. Geen antwoord op telefonische oproepen voor Caroline. Zo onopvallend mogelijk, lopend en fietsend, blijven speuren in de omgeving van de rivier. Zonder enig resultaat. Groeiende onrust. Het begraven van haar spullen. De onverschillige, zwijgende aanwezigheid van Nathalie.

De daaropvolgende dag, het begin van een nieuwe week, rijdt hij zoals altijd naar zijn werk in de stad. De onrust is in zijn hele lichaam blijven sudderen, maar er gebeurt die dag helemaal niets.

Eén dag later, dinsdag, komt er verandering in de situatie. Twee politie-inspecteurs bieden zich in de loop van de dag aan bij de receptie van het bedrijf. Ze willen hem graag even spreken. De telefoonjuffrouw geeft hem die boodschap door.

In de ontvangstkamer van de firma neemt hij plaats tegenover de twee politiemensen. Ze zien er heel anders uit dan in de doorsnee politiefilm. Ambtelijk vermelden ze hun naam en hun functie, maar die informatie interesseert hem niet en hij is ze daarom onmiddellijk weer vergeten.

De ene is groot en mager, een leptosoom type met een smal, kortgeknipt snorretje. Zijn collega is kleiner en breder, een geblokte man met een vriendelijk gezicht en een lichte aanzet tot kaalhoofdigheid.

Ze beginnen met een kuchje. Misschien is dat in hun milieu de gebruikelijke inleiding bij dit soort gesprekken? De magere bladert in een map met losse, volgeprinte vellen. De brede zit zwijgend en zelfgenoegzaam zijn beurt af te wachten.

'Het gaat in dit geval om de aangifte van een verdwijning,' zegt de eerste, 'een persoon van het vrouwelijk geslacht.' Hij spreekt elk woord apart en heel nadrukkelijk uit, alsof hij vreest dat er anders bij zijn gehoor een levensgroot misverstand zou kunnen ontstaan.

'De vermiste persoon is dus een dame, een zekere mevrouw Ensing, Caroline Ensing,' voegt hij er volledigheidshalve aan toe.

'Wat u me nu zegt, is mevrouw Ensing verdwenen?' vraagt hij verwonderd. 'Hoe is dat mogelijk?' Een banaal antwoord zonder veel menselijk meeleven.

Voor de rest reageert hij in het geheel niet. Verroert geen vin. Koelbloedig, met een onmiskenbaar flegma, vindt hij van zichzelf, wacht hij de komende gebeurtenissen af. De politieman bouwt even een stilte in.

'Mevrouw Ensing is lerares. De schooldirectie liet ons weten, dat ze gisteren, maandag, afwezig is gebleven zonder enige opgave van reden. Heel ongebruikelijk in die school. De hele dag bleef ze onbereikbaar. Ook vandaag is er wat haar betreft geen teken van leven gekomen. Vandaar de logische aangifte over haar verdwijning.'

'We hebben ons aangeboden op haar adres,' zegt de tweede, 'maar zonder resultaat.'

'Ik vraag me wel af wat ik daarmee te maken heb?' zegt hij.

'We hoorden dat u nogal goed bevriend is met mevrouw Ensing. Hebt u recent misschien nog contact met haar gehad?'

Natuurlijk weet hij daar weliswaar niet alles, maar

toch redelijk veel van. Toch lijkt het hem in de gegeven omstandigheden raadzamer en verstandiger om een peinzende houding aan te nemen.

'Vrijdagavond heb ik mevrouw Ensing inderdaad nog gezien,' zegt hij ontspannen, 'maar dat was meteen ook voor het laatst. Nadien heb ik niets meer van haar gehoord.'

'Vrijdag, hoe laat?' vraagt de tweede vlug. Geen nieuwsgierigheid, eerder beroepsdeformatie.

'Na het werk. Het zal omstreeks zeven uur geweest zijn.'

'Waar hebt u elkaar ontmoet?'

'In de taverne, hier vlakbij. Dat is de gewone stamkroeg van mij en mijn collega's.'

De eerste neemt resoluut het roer over. 'Ik neem aan dat u samen gezellig de avond hebt doorgebracht?'

'We hebben er samen iets gedronken. Een aperitief, meer niet.'

'En daarna?'

'Zijn we naar een Italiaans restaurant gegaan om er een hapje te eten.'

'Naam van dat restaurant, als ik zo vrij mag zijn?'

Op zo'n beleefd geformuleerd verzoek past een bevredigend antwoord, vindt hij. '*Sorrento*, ook niet zo ver hiervandaan.'

'Tot hoe laat bent u daar gebleven?'

'Het zal een uur of negen geweest zijn, vermoed ik. Eerlijk gezegd, kijk ik niet op mijn horloge als ik ergens binnen of buiten ga.'

'Wat hebt u nadien gedaan?'

'Ik heb haar gewoon naar huis gebracht. Ze woont in een studio, niet zo ver van de school.'

174

'Dat weten we al. Ik mag aannemen dat u daar nog wat gezellig samen bent gebleven in haar knusse flat? Een kwestie van nog even na te kaarten na een gezellig avondje uit?'

'Toch niet, ik ben direct naar huis gereden.'

'Een gemiste kans,' zegt de geblokte politieman. 'Bijna niet te geloven dat u die zomaar laat voorbijgaan.'

'Ach, soms heb ik berouw over de zonden die ik niet begaan heb,' zegt hij met een glimlach, 'maar in dit geval ligt het anders. Bovendien vergeet u dat ik getrouwd ben en dat mijn vrouw thuis altijd op mij zit te wachten.'

Natuurlijk is dat een forse overdrijving, maar het klinkt heel aardig en het vermindert de argwaan. Bovendien schept het een haast vertrouwelijke, familiale band met de bezoekers. Althans, dat is zijn naïeve verwachting.

'Oh, maar wij vergeten dat niet,' zegt de ander, 'als u het zelf maar niet vergeet.'

'U moet weten dat Caroline Ensing een oude kennis van ons is. Een vroegere collega van mijn vrouw, die ook lerares geweest is in dezelfde school. Dat is alles. Het is echt niet nodig er meer achter te zoeken.'

'Zozo.'

Dat vindt hij een betekenisloze reactie. 'Hoe dan ook, ik ben niet bij haar gebleven, maar direct naar huis gegaan.'

'Hebt u intussen nog contact gehad met mevrouw Ensing?'

'Nee, zoals eerder al gezegd, helemaal niet. Het hele weekeinde heb ik rustig thuis doorgebracht.'

'Stel dat u in de eerstvolgende uren of dagen nog iets

van haar hoort, ik bedoel telefonisch of via een persoonlijk contact, wil u ons dan direct iets laten weten?'

'Natuurlijk zal ik dat,' zegt hij, boordevol overtuiging
en goede wil. 'Ik hoop dat ze spoedig weer boven water
komt.'

'Hoe bedoelt u dat?' vraagt de kleinste van de twee.

Hij bijt op zijn lip. 'Een uitspraak zonder meer, een
stom cliché,' zegt hij, 'zeker niet slecht bedoeld.'

De twee politie-inspecteurs staan op, drukken hem
beleefd de hand en verlaten het bedrijf. Onderweg met
elkaar fezelend als twee geboren samenzweerders.

Hoewel die twee mannen er uiterlijk heel gewoon uitzien, zou onderschatting van hun speurzin een onver-
geeflijke fout zijn. Het gaat om inspecteurs die hun vak
door en door kennen en die zich als pitbulls vastbijten in
hun opdracht.

Het resultaat van zo'n ondervraging is niet alleen ener-
verend, maar ook allesbehalve geruststellend. Het is beter dat hij zijn bek houdt. Doen alsof hij nergens wat van
afweet. Het roekeloos prijsgeven van informatie, leidt in
dit geval onverbiddelijk tot fatale consequenties.

Hij besluit wat vroeger naar huis te gaan. Onrust golft
zonder ophouden als een kwalijke diarree door zijn ingewanden. Thuis loopt hij ongedurig en doodnerveus
rond. Een vent die totaal van streek is, zodat het haar wel
moet opvallen.

'Wat is er eigenlijk aan de hand?' vraagt ze. 'Ik heb je
nog maar zelden zo zenuwachtig gezien.'

'Problemen bij de firma,' zegt hij. Dat het ongeloofwaardig klinkt, beseft hij zelf wel. Gelukkig gaat ze er
niet verder op in.

Hij worstelt met een vaag vermoeden, dat zij wellicht veel meer weet dan ze laat blijken. Hoe meer hij erover nadenkt, hoe groter zijn opwinding wordt. 'Zit jij er misschien voor iets tussen?' roept hij bars. Een middelmatig acteur, die ineens zonder aanwijsbare reden uit zijn rol valt.

'Ik heb nergens wat mee te maken,' zegt ze rustig. 'Ik weet van niets. Als er ergens wat verkeerd loopt, zoek het dan zelf maar uit.'

Haar onverschillig antwoord maakt hem woedend. In een agressieve bui springt hij op haar toe, heft zijn hand op om haar te slaan, maar op het allerlaatste ogenblik bedenkt hij zich.

'Straks lopen er hier twee rond met een blauw oog,' zegt ze schamper.

Hij beschimpt haar. Een vrouw van niks. Volstrekt waardeloos. Een rotwijf. Bekrompen. Frigide. Hij gaat zich te buiten aan allerlei bedreigingen. 'Als je er voor iets tussen zit, krijg ik je wel.'

'Waar zou ik tussen zitten?' vraagt ze kalm, zonder een antwoord te verwachten. Bah, een man met meer dan één morele handicap, daar is geen kruid voor gewassen.

Dertien

NATHALIE

De daaropvolgende dagen verandert er niets. Geen enkele gebeurtenis is van enige betekenis en geen voorval is van die aard, dat het ook maar ergens in de wijde omgeving de kleinste argwaan zou kunnen opwekken.

Caroline is en blijft spoorloos. Nathalie piekert niet over de verdwijning van dat brutaal vrouwmens, die in dit huis zo ongegeneerd haar intieme relatie met Vincent kwam exposeren. Kranten en televisie hebben haar foto afgebeeld, maar reacties heeft dat kennelijk niet opgeleverd. Het lijkt er sterk op, dat ze van de aardbol verdwenen is, zonder ook maar het kleinste spoor achter te laten.

Twee politiemannen hebben de omgeving oppervlakkig afgezocht. Daarna hebben ze per fiets de slingerende loop van de rivier gevolgd, de ene rijdend op de rechteroever, de andere aan de linkerkant, wat een nogal komisch tafereel opleverde. Ze hadden vooral oog voor de oevers, bermen en rietstroken. Resultaat hebben ze daarmee blijkbaar niet geboekt.

'Wat komen ze hier eigenlijk zoeken?' vraagt Vincent.

'Mij moet je dat niet vragen,' zegt ze met een poreus stemmetje, 'die Caroline interesseert me tenslotte geen barst.'

'Ze kunnen toch beter naar haar gaan speuren in de stad?'

'Misschien waren die twee niet eens op zoek naar haar, maar naar iets anders,' zegt ze zeemzoet. 'Ze zijn altijd wel ergens aan het rondneuzen.'

Getroffen kijkt hij op, een spoor van dankbaarheid voor dit schrale houvast. De verneukende ironie, die in haar opmerking verborgen zit, ontgaat hem.

Twee helderzienden, een pendelaar en een wichelroedeloper hebben volgens de krant hun diensten aangeboden, maar ook die bemiddeling heeft, zoals meestal het geval is, niets tastbaars opgeleverd.

Het valt haar op dat Vincent de voorbije dagen een heel stuk rustiger is geworden. Geen nieuws over Caroline heeft op hem het effect van goed nieuws, denkt ze. Natuurlijk is het ook mogelijk dat al de hangende en prangende problemen bij de firma, die hem zo zwaar op de maag schenen te liggen, ineens op een wonderbaarlijke manier zijn opgelost. Maar bij nader inzien lijkt dat haar te vergezocht.

Haar intuïtie wekt haar uit een beginnende lethargie. Ze heeft het onbestemde voorgevoel dat er heel spoedig iets gaat gebeuren. Een vorm van merkwaardige voorschouw, dat heeft ze al vaker meegemaakt en altijd is het op de voorziene wijze uitgekomen. Voor haar is deze plots weer opduikende helderziendheid, het duidelijke signaal dat er een opzienbarende verandering op komst is.

Inmiddels heeft de winter relatief vroeg zijn entree gemaakt in Niemandsland. De ongerepte natuur is ondergedekt door een laag sneeuw, met hier en daar spiegelende ijsplekken, dun als een trommelvlies.

Het land ziet eruit als een eindeloze, kale vlakte, onherbergzaam voor mens en dier. In de verte vormen de magere silhouetten van de bomen een bruingrijze muur, die een onbehaaglijke indruk oproept van ondoordringbaarheid, beslotenheid en totale afzondering.

Ook dit keer laat haar beproefd voorgevoel haar niet in de steek. De volgende dag, vrijdag, komt Domien langs met het onthullende nieuws dat ze uit de rivier het lichaam hebben opgehaald van een verdronken vrouw. Het is vandaag exact één week geleden dat Caroline vluchtend over de dijk liep.

'Een eind hiervandaan,' zegt hij, de richting aangevend met zijn uitgestoken arm, 'bij de kromming van de rivier in de buurt van de kleine stad.'

Ze zit na te denken. Als het over haar lijk gaat, heeft ze eerst nog een flink stuk afgelegd over de dijk, alvorens ze in het water is gesukkeld. Of ze is er redelijk vlug in gevallen en de sterke stroming heeft haar lichaam kilometers ver meegesleurd; die kans is nog groter. Nu, het doet niets ter zake.

'Ze was naakt,' zegt Domien. 'Naar het schijnt droeg ze alleen maar een doorschijnende nachtjapon, helemaal aan flarden gescheurd. Niks meer dus dan een heel dun vod, dat als een stuk natte vaatdoek om haar lijf hing.'

Zonder enige twijfel Caroline, denkt ze. De fatale afloop stond al van bij het begin vast. De film ontrolt zich voor de zoveelste keer. Het beeld van de vluchtende vrouw, die paniekerig en huilend over de dijk strompelt. Een zwaar aangeslagen restje mens, op dat ogenblik al onafwendbaar op weg naar de dood.

Zoals te verwachten was, is ze op haar dooltocht in de eenzame donkerte van de haar onbekende streek in het water terechtgekomen. De feiten bevestigen deze logische gedachtegang. De jammerlijke afloop was bij voorbaat al zorgvuldig en onontkoombaar uitgestippeld. Daarna is het stuk zonder veel pathos opgevoerd, als de tragische en aangrijpende slotscène uit een oeroud, klassiek noodlotsdrama.

Domien is erg onder de indruk. Zo te horen heeft de gebeurtenis hem om de een of andere reden bijzonder sterk aangegrepen, hij raakt er niet over uitgepraat. 'Een palingvisser, die met zijn platbodem op de rivier aan het varen was, heeft het lichaam gevonden,' zegt hij bedrukt.

'Zo'n uitzonderlijke vangst zal die brave man in heel zijn leven niet meer bovenhalen,' zegt ze.

Geschokt staart hij haar aan. 'Het interesseert je niet eens, Nathalie.' Zijn stem klinkt afkeurend en verwijtend.

'Toch wel,' zegt ze. 'Vertel maar, ik luister.'

'Het lichaam is van een mooie vrouw, zeggen de ooggetuigen. Onbekend en nog redelijk jong. Weet je wat ik me afvraag? Hoe komt een knappe vrouw, zo goed als naakt, hier haar dood zoeken?'

'Misschien een liefdesdrama?' zegt ze. 'De liefde zorgt niet alleen voor geboorten, maar ook voor doden.'

Daar is hij even stil van. 'Dat begrijp ik allemaal niet goed,' zegt hij. De openhartige reactie van een ongecompliceerde, eerlijke buitenman.

'Alle dagen sterven er mooie, jonge mensen, zelfs kinderen,' zegt ze vergoelijkend. 'We kennen ze niet en daarom raakt het ons niet, dat is het hele probleem.'

Heel zeker is er in Domiens geest nog iets overgebleven van de oergevoelens van de primitieve mens, die noodgedwongen en uit zucht naar levensbehoud heel waakzaam moest zijn en die direct betrokken was bij alles wat er in zijn onmiddellijke omgeving te gebeuren stond. In zijn zintuigen is dat latent en onuitroeibaar aanwezig gebleven.

Al die kenmerken vindt ze steeds weer terug in het gedrag en de mentaliteit van Domien. Een haast hondse trouw aan allen die hem lief zijn. Een aangeboren solidariteit met de mensen om hem heen. Uit ervaring weet hij dat de grote drama's van leven en dood er onafscheidelijk mee verbonden zijn, maar ze laten hem nooit onberoerd.

Haar smeulende gevoelsleven flakkert ineens weer op. De strijdlust van de verongelijkte vrouw. 'Wat we ook uitzoeken en proberen,' zegt ze, 'we kunnen het nooit oplossen, zelfs niet veranderen. De mens is alleen en machteloos.'

Als Vincent vroeger dan anders thuis komt, vertelt ze hem dat het lijk van een onbekende vrouw is opgevist uit de rivier. Uit zijn houding valt niet op te maken of hij al op de hoogte is van dat nieuws.

'Van wie weet je het?' vraagt hij.

'Van Domien,' zegt ze. 'Hij vertelde terloops dat ze naakt was.'

Op die uitdaging gaat hij niet in. 'Waar hebben ze dat lijk ergens gevonden?'

'In de brede bocht van de rivier, bij het binnenkomen van de kleine stad.'

'Dat is een heel eind hiervandaan,' zegt hij vlug. Dan herpakt hij zich. 'Overigens, wat hebben wij daar eigenlijk mee te maken?'

Tegen de avond stopt er een auto voor de brug. Twee mannen stappen uit, kijken wat onverschillig rond en komen dan zonder haast naar het huis. De ene is lang en mager, de tweede kleiner en stevig gebouwd.

Het blijkt om twee politie-inspecteurs te gaan, die Vincent willen spreken. Uit een en ander kan ze opmaken dat de bezoekers haar man al eerder hebben ontmoet. Met geschuif van stoelen en onhandig gestommel nemen ze plaats aan de tafel in de woonkamer.

Zodra ze zitten, houden ze allebei een hand voor de mond om een beginnend kuchje de weg af te snijden. Zij is intussen in een fauteuil bij het raam gaan zitten, als een geïnteresseerde toeschouwer in een theaterloge.

'Misschien hebt u het nieuws al gehoord dat het lichaam van mevrouw Caroline Ensing, u beiden welbekend, vandaag gevonden is in de rivier?' zegt de grootste enigszins plechtstatig. Hij wijst daarbij naar buiten, alsof het lijk hier vlakbij onder de brug ontdekt is.

'O ja?' Vincent, geschrokken, hand voor de mond. De verbaasde blik van een door de wol geverfde komediant.

'U wist het dus niet?'

'Mijn vrouw heeft me net verteld dat er iemand verdronken was. Om wie het precies ging, wist ze zelf ook niet.' Hij richt zich tot haar: 'Zo is het toch?' Ze bevestigt zijn woorden met een hoofdknik.

'Een heel goede kennis van u en uw vrouw,' zegt de tweede, 'tenminste als ik me niet vergis.'

'Dat heb ik u een dag of vijf geleden allemaal al uitgelegd,' zegt Vincent. Zijn reactie is onvriendelijk en zelfs knorrig.

Nathalie verbaast zich over zijn zelfbeheersing en koelbloedigheid. Normaal zou hij, in de gegeven omstandigheden en met zijn slecht geweten, hypernerveus moeten zijn, maar hij geeft geen krimp tegenover de ondervragers.

'Wij hebben onmiddellijk de link gelegd tussen de vermiste dame en de onbekende drenkelinge,' zegt de eerste, alsof hij daarmee een haast bovennatuurlijke prestatie heeft verricht.

De man draait zich half om naar Nathalie. 'Waar was u vorig weekeinde, mevrouw?' vraagt hij. Terwijl hij op haar antwoord wacht, houdt hij haar scherp in de gaten.

'Ik was ter observatie opgenomen in het ziekenhuis,' zegt ze.

'Het hele weekeinde?'

'Nee, tot en met zaterdagochtend. Omstreeks het middaguur was ik weer thuis.'

De kleinste van de twee maakt inmiddels ijverig noties, met een gezicht alsof hij zich op dit ogenblik intens amuseert.

'Het spijt me zeer, heren,' zegt Vincent resoluut, 'maar mijn vrouw en ik kunnen u helaas niet helpen bij de ontraadseling van deze geheimzinnige zaak.'

Wat heeft die linke man van haar alles weer zorgvuldig doordacht. Die ontluisterende vaststelling bezorgt haar koude rillingen. Ze vraagt zich af of de twee bezoekers er zullen intuinen? Of zullen ze er uiteindelijk toch in slagen deze luchtballon, die bol staat van de leugens, te doorprikken?

'Het anatomisch onderzoek is vandaag begonnen. De dokter heeft al een lijkschouwing verricht,' zegt de lange magere. 'Uiterlijk maandag krijgen wij de uitslag van deze autopsie.'

De tweede neemt het woord over. 'Intussen wachten we rustig af. In deze geheimzinnige zaak, zoals u het noemt, zijn er diverse mogelijkheden: a) ze is in het water gevallen en verdronken, b) ze is door iemand in het water geduwd en verdronken, c) ze is in het water gesprongen, dus zelfdoding, d) ze is op een andere plek vermoord en nadien hier ergens in het water gegooid.'

'Vermoord?' zegt Vincent met stomme verbazing.

'De zaak is natuurlijk nog ondoorzichtig,' antwoordt de eerste man.

'Hoe komt u erbij dat zoiets hier zou gebeurd zijn?' roept Vincent verontwaardigd. 'Voor zo'n bewering hebt u geen enkel bewijs, geen poot om op te staan.'

'Het is alleen maar een van de vele mogelijkheden, meer niet, maar ik kan u nu al vertrouwelijk zeggen dat de hals van het slachtoffer goed zichtbare sporen van wurging vertoonde.'

Het is de eerste keer dat hij het woord slachtoffer in de mond neemt. Dat heeft een verrassende uitwerking op Vincent, die rood aanloopt en zich onhandig begint te gedragen.

'Dus geen sprake van zelfmoord,' zegt de eerste inspecteur koel, 'eerder moord of doodslag.'

Hij staat op, duwt met één been zijn stoel achteruit en

knoopt zijn jas zorgvuldig dicht. 'Nu, wees niet ongerust, we komen de eerstvolgende dagen zeker nog eens langs, zodat u op de hoogte blijft van de situatie.' Uit zijn mond klinkt het bijna minzaam.

Die man is net een poes, denkt ze, die met een pas gevangen muis een dodelijk spelletje speelt. Hoe dan ook, één zaak staat vast. Het net begint zich langzaam maar zeker rond Vincent te sluiten.

Het hele weekeinde vertoont haar man de in het oog springende tekenen van een verterende onrust. Hij weet geen blijf met zichzelf en beweegt zich voortdurend en doelloos door het huis en de tuin.

Maandagmiddag komen de twee politie-inspecteurs opnieuw op bezoek, ditmaal vergezeld van een paar gewone agenten en een snuffelende speurhond. Ze hebben een bevel tot huiszoeking meegebracht, waarvoor ze zich min of meer excuseren.

Vincent is thuis. Vroeg in de ochtend is er een oproep geweest van het politiecommissariaat dat hij zich vandaag hier beschikbaar moet houden. Een verzoek dat zijn aanzwellende onrust niet meteen tempert.

De twee ondervragers laten geen tijd verloren gaan, ze leggen hem onmiddellijk het vuur aan de schenen. Inmiddels doorzoeken de twee agenten routineus alle vertrekken van het huis.

'Het rapport van de sectie door de patholoog-anatoom wijst uit dat er duidelijke wurgsporen aanwezig zijn op de hals van de dode vrouw,' zegt de eerste inspecteur. 'Toch is ze niet door wurging omgekomen, maar door verdrinking. Er was water in de longen.'

'Met heel die affaire heb ik niets te maken,' zegt Vincent. 'Het is toch al te gek dat u mij verdenkt, omdat ik haar toevallig ken?'

'Wat is toeval? U was een van de allerlaatsten die haar levend gezien heeft,' zegt de tweede. 'Daar kunt u niet onderuit en wij ook niet.'

'Heel waarschijnlijk heeft ze na mij nog iemand anders ontmoet,' stelt hij vast. Er trilt een onmiskenbare wanhoop in zijn stem. 'Het was nog helemaal niet zo laat, toen ik haar die vrijdagavond naar huis heb gebracht. Haar kennende is het zeker niet uitgesloten dat ze nadien nog is gaan stappen in de stad.'

'Daar bestaat geen enkel bewijs van.'

'U hebt ook geen enkel bewijs tegen mij en toch valt u mij lastig. Ik ben geen moordenaar, maar een onschuldig man. Mijn goede naam wordt door uw optreden besmeurd.' Zijn ergernis is groot, het water staat hem tot aan de lippen.

'De zaak wordt grondig uitgespit,' zegt de eerste ondervrager. 'Als u er niets mee te maken hebt, zal het onderzoek dat zonder enige twijfel uitwijzen.'

'Ik zou niet de eerste zijn, en ook niet de laatste, die onschuldig verdacht en veroordeeld wordt,' zegt Vincent bitter. 'Hoe kan ik mijn onschuld ooit bewijzen? U zit als twee grijpgrage pitbulls achter me aan.'

Een van de agenten komt gehaast de woonkamer binnen. Het onderzoek in het huis zelf heeft niets opgeleverd, ze zijn nu in de tuin bezig. Met gedempte stem vertelt hij iets aan de inspecteurs. Ze springen direct op en volgen hem naar buiten. Nathalie gaat nieuwsgierig achter hen aan. Vincent blijft wezenloos in zijn stoel zitten. Een bokser die de knock-out nabij is.

Amper een minuut later is Nathalie al terug. 'Er is iets in de tuin,' zegt ze opgewonden. 'Helemaal achteraan, op een afgelegen plek tegen de afsluiting, is de hond een gat aan het graven. De mannen zijn de kuil nu aan het uitdiepen. Ze vermoeden dat daar iets begraven ligt.'

Ineens komt de hele situatie in een stroomversnelling. Ze ziet hoe alles zich voor haar afspeelt, alsof ze naar een filmscherm of een televisiebeeld zit te kijken. Een snelle opeenvolging van rare, flitsende gebeurtenissen, door geen mens meer tegen te houden.

Vincent die als een bezetene het huis uitrent. Naar het schuurtje. Weer buiten met een ladder. Om het huis heen lopend. Naar de boom. De zo door hem gehate ginkgo. Hij klimt naar boven. Neemt het touw. Was het er al of bracht hij het mee?

Hij bindt de strop om zijn nek. Duwt met zijn voeten de ladder om. De tak buigt eerst diep door onder zijn zware gewicht. Vincent maakt vreemde, rochelende geluiden en spastische bewegingen. Zijn voeten raken bijna de grond. Daarna zwiept hij weer naar boven. Zijn gezicht zwelt op. Hij plast in zijn broek.

Wie lost in extremis zijn dodende greep? Het touw, de boom, of Nathalie? De strop in het touw ontwart zichzelf. Wat trilt er ineens in de lucht? Neuzelt of neuriet de ginkgo?

Vincent valt met een kwak op de grond. Verdwaasd scharrelt hij recht. Staart als een blinde om zich heen. Een dikke, rode streep om zijn hals. De bek wijd opengesperd. Benauwd naar adem happend.

Hij steekt zijn armen vooruit, de handpalmen naar boven. Een ontiegelijk gebaar vol wanhoop en leegte.

Tranen rollen over zijn gezicht. Een theatrale voorstelling zonder toeschouwers.

'Ik deed het niet,' fluistert hij kortademig. Een hese, verstikte stem. Dan, heel moeizaam: 'Zij is geen vrouw, maar een...' Hij breekt zijn zin bruusk af.

Struikelend loopt hij naar de brug. Opgejaagd. Molenwiekend met zijn armen. Schorre klanken uitstotend. Hij hobbelt niet over de dijk langs de rivier, zoals Caroline, maar steekt de brug over.

Aan de overkant schuift hij half vallend naar beneden. Vandaar naar de eindeloze, onbewoonde wildernis met haar putten en poelen, sloten en vennen, dorre struikgewassen en zuigende moerassen die ingedommeld liggen te wachten.

Een aangeschoten, waggelende watervogel. Met een kwakkelende loop wegvluchtend naar het onherbergzame Niemandsland aan de overzijde van de rivier. Arme, uitgetelde Vincent, vertwijfeld op weg naar een zompige modderbrij of een verraderlijke kleine kreek vol kroos en ijskoud water. Wanhopig op de vlucht voor de ongrijpbare magie van een gek huis.

Als de lente weer in het land is, gebeurt er iets vreemds. De planken in de woonkamer kraken nu en dan heftig. Op één plek beginnen ze een merkwaardige bobbel te vertonen.

Domien zal de zonderlinge situatie onderzoeken. Al heel vlug blijkt het om een jonge boom te gaan, die zich een uitweg probeert te zoeken doorheen de houten vloer.

'Een zoon of een dochter van de ginkgo,' zegt ze. Een diepe bewogenheid overspoelt haar. Voor het eerst sinds

jaren lopen er tranen van ontroering en geluk over haar
gezicht.

C.I.P. KONINKLIJKE BIBLIOTHEEK ALBERT I

Vandeloo, Jos

De liefdesboom / Jos Vandeloo. – Antwerpen: Manteau,
1998. – 192 p.; 20 cm.
ISBN 90-223-1496-0
Doelgroep: Proza
NUGI 300